目次

本文カット■酒井由香里

「1級」試験問題・最新の傾向 ＊

●受検者数と合格率

2023年度には志願者数が約141万5千人になった漢字能力検定試験ですが、「1級」は格段に受検者数が少なく、年間で約2千4百人です。そのわけは、合格率の平均が約8％という非常に難易度の高い試験であるためといえるでしょう。

●下級からの変更点

「1級」では、常用漢字も含めて約六、〇〇〇字もの漢字の中から出題されるため、非常に難解です。

準1級からは、①国字の書き取り、②意味を的確に表す語の書き取り、③独立した熟字訓・当て字の読みが追加されています。また、文章題の書き取り問題も、5問から10問へ増えています。中でも「意味を的確に表す語の書き取り」は、問題となっている熟語が非常に難解で、一筋縄ではいきません。「熟字訓・当て字」も、事前に知っていなければ答えられない問題です。

問題文に著名人の文学作品を拝借し、便宜上、一部手を加えさせていただきました。末筆ながら著者および関係者各位に深謝申し上げます。

1級の出題内容

対象漢字数は約六千字

まず下の表を見てください。1級の対象漢字数は約六、〇〇〇字となっています。約六、〇〇〇字の中から出題されるという意味です。

この約六、〇〇〇字とは何かというと、常用漢字(二、一三六字)に準1級用漢字と1級用漢字を加えたものです。

1級用漢字が重要

漢字検定では1級から10級までの各級にレベルに応じた漢字を配当して、その配当漢字が各級検定問題の核となります。

ですから、1級では1級用漢字が非常に重要なのです。

1級用漢字には、国字一二〇字が含まれています。

読み・書き・故事

1級の出題領域は「読み」「書き」「故事・諺」の三つに分類できます。

読み 「読み」では、1級用漢字が問題の中心になります。特に「短文中の漢字の読み」では普段つかわれない漢字・言葉の読みが、中国の故事成語の読み下し文で出題されることが多いのが特徴です。

また、常用漢字の難しい読み問題が含まれます。

熟字訓・当て字の難読漢字の問題が10問出ます。これは動植物名、生活用具名などです。

本書のテストでこれらの学習と吟味をしてください。

書き 「書き」では、短文形式による「カタカナ部分の漢字書き取り」「同音・同訓異字」「対義語・類義語」などと、「四字熟語」の二字を埋める問題が出ます。いずれも解答に1級用漢字を含むものとなっています。

ほかに「国字」の書き取りは、現在2問出題されています。1級用の国字は121ページ以降に紹介してありますから参考にしてください。

故事・諺 「故事・諺」はカタカナ部分を漢字になおす出題形式で、大半は解答に1級用漢字を含みます。故事・諺の広い知識と1級用漢字を含む漢字の筆記力が問われます。

程　度	領　域	内　容
常用漢字を含めて約6000字の漢字の音・訓を理解し、文章の中で適切に使えるようにする。	読むことと書くこと	常用漢字の音・訓を含めて、約6000字の漢字を、文章の中で適切に使える。 ●熟字訓、当て字、対義語、類義語、同音・同訓異字などを理解すること。 ●国字を理解していること。 ●地名・国名などの漢字表記（当て字の一種）を知っていること。 ●複数の漢字表記について理解していること。
	四字熟語・故事・諺	典拠のある四字熟語、故事成語、諺を正しく理解する。
	古典的文章	古典的文章の中での漢字・漢語を理解している。

約6000字の漢字は、JIS 第二水準を目安とする。

級別出題内容（一例）

3級～10級は省略。
「—」は出題なし。

内容＼級	1級	準1級
短文中の漢字の読み	短文中の漢字の読み（表外読みを含む）	短文中の漢字の読み（国字を含む）
常用漢字表外の読み	—	常用漢字表外の読み
短文中の書き取り（同音同訓異字、国字の書き取りを含む）	短文中の書き取り（同音同訓異字、国字の書き取りを含む）	短文中の書き取り（同音同訓異字を含む）
意味を的確に表す語の書き取り	意味を的確に表す語の書き取り	—
四字熟語	四字熟語（二字書き取りと意味の選択）	四字熟語（二字書き取りと意味にふさわしい四字熟語の読み）
熟字訓・当て字の読み	熟字訓・当て字の読み	熟字訓・当て字の読み
音訓相補の読み	音訓相補の読み	音訓相補の読み
対義語・類義語の書き取り	対義語・類義語の書き取り	対義語・類義語の書き取り
故事成語・諺の書き取り	故事成語・諺の書き取り	故事成語・諺の書き取り
共通の常用漢字	—	共通の常用漢字
誤字訂正	—	誤字訂正
文章題（書き取りと読み）	文章題（書き取りと読み）	文章題（書き取りと読み）

2級	準2級
短文中の漢字の読み	短文中の漢字の読み
—	—
—	—
部首	部首
熟語の構成	熟語の構成
漢字と送りがな	漢字と送りがな
対義語類義語	対義語類義語
四字熟語	四字熟語
同音・同訓異字	同音・同訓異字
誤字訂正	誤字訂正
短文中の書き取り	短文中の書き取り
二、一三六字	一、九〇四字

本書は出題が予想される形式で構成しています。実際の試験は、日本漢字能力検定協会の審査基準の変更の有無にかかわらず、出題形式や問題数が変更されることもあります。

受検級の目安

8級	7級	6級	5級	4級	3級	準2級	2級	準1級	1級

- 学生・社会人：8級～1級
- 高校3年生：8級～準1級
- 高校1～2年生：8級～2級
- 中学3年生：8級～準2級
- 中学2年生：8級～3級
- 中学1年生：8級～4級
- 小学4～6年生：8級～5級

9·10級は省略

1級試験問題の傾向と対策

(一) 読み

●配点 1問1点×30問＝30点（総得点の15％）

9割以上が1級用漢字から出題され、その他、常用漢字の表外読みである音読み、訓読み問題も毎回出題されています。

1級用漢字からの出題が約9割！

短文中の漢字の読みを答える問題で、**音読みの問題が20問**、**訓読みの問題が10問**となっています。

漢字の読みは**音符**（字音を表す部分。例えば「級」の字ならば「及」）から見当がつくことがありますが、1級ともなるとそれだけでは正答できません。面倒でも一字一字正確に、時間をかけて頭にしみ込ませていくしかありません。

令和5年度の問題を分析すると、

漢字の級別出題割合*

準1級 13%

1級87%

上記の円グラフのように設問対象とする字の約9割が1級の字や、1級用の表外読みとわかります。

中国の古典などからも出題されます！

中国の古典などを典拠にもつ問題が毎回7～8問、出題されます。過去に出題された問題の中から、出典があるものについてみてみましょう。

音読みの出例

出例 好言口よりし**莠言**口よりす。　答…ゆうげん

意味…良い言葉は口から出るものであるが、有害なことばもまた口から出るものであるということ。「好言」がよいことば、「莠言」が有害なことばの意味。

出典 好言自口、莠言自口。（『詩経』小雅・正月）

出例 漢王、食を**輟め哺**を吐く。　答…や・とど

意味…漢王は食事をやめて待ちかねたように人を迎えた。

出典 漢王輟食吐哺…（『史記』留侯世家）

＊常用漢字表の表外読みには1級用と準1級用の音・訓があり、それぞれ該当級の漢字として集計しています。

出例 **駃**たる彼の飛隼其れ飛んで天に戻る。

意味…速く飛ぶ彼の隼は飛んで天に戻った。

答…いつ

出典 駃彼飛隼、其飛戾天、亦集爰止。（『詩経』小雅・采芑）

出例 木の**罌缶**を以て軍を渡す。

意味…木でできた瓶を使って川を渡した。

答…おうふ

出典 以木罌缶渡軍、襲安邑。（『前漢紀』高祖皇帝紀）

出例 **蚊蜹**膚を咬み虎狼肉を食らう。

意味…アブが人の皮膚を咬み、虎や狼が人の肉を食べるように。

答…ぶんぜい

出典 且蚊蜹嗜膚、虎狼食肉、非天本為蚊蜹生人、虎狼生肉者哉？（『列子』説符）

訓読みの出例

出例 父無くんば何をか**怙**まん。

意味…「母無くんば何をか恃（たの）まん」と続く。もし父母が無ければ子は何をよりどころにすればよいのか。

答…たの

出典 無父何怙、無母何恃。（『詩経』小雅・蓼莪）

出例 山に嘉き**卉**有り。

意味…山を見ると、山には昔の通りに随分よい草や木が生えている。

答…くさ

出典 山有嘉卉、侯栗侯梅…（『詩経』小雅・四月）

丸暗記するだけではなく、漢字の意味を理解しながら覚えましょう。

（二）書き取り

●配点 1問2点×20問＝40点（総得点の20％）

1級用漢字からの出題が8割以上を占めています。「とめ」や「はね」「はらい」など細かい部分にも注意して1級用漢字を覚えましょう。

日常用語を1級用漢字で正しく書けるようにする

短文中のカタカナ部分を漢字に直す問題です。ほとんど1級用漢字から出題されますが、常用漢字の表外読みから出題されることもあります。読み方としては音読みと訓読み、半数ずつくらいです。

漢字の級別出題割合*

準1級以下 15%

1級 85%

音読みの出例

出例 **レッパク**の気合いとともに両断した。

意味…帛（きぬ）を引き裂く音。また、そのように鋭い声。

答…裂帛

訓読みの出例

出例 疑惑の念が頭を**モタ**げてきた。

意味…持ち上げる。起こす。増す。

答…擡

＊常用漢字表の表外読みには1級用と準1級用の音・訓があり、それぞれ該当級の漢字として集計しています。

この出例のように、書き取り問題では比較的日常耳にすることばが多いようです。しかし日常語であっても、それを漢字で書くのはなかなか難しいことです。まずは日常語、現代でも使われている語の中から1級用漢字で書かれているものを集めて、書けるようにしましょう。

同音異義語なども出題されます

2問～5問、同音異義語、同訓異字が出題されます。

同音異義語の出例

出例
- **エンジ**を問わず各地から人が集まった。
- 校正して**エンジ**を削除した。

答…遠邇　衍字

意味…遠邇は遠近のこと。衍字は誤字のこと。

これは日常では耳にしないような、かなり難しいことばで、難問と言えるでしょう。「何を問題ともせず人が集まったのか」、「校正だから字と関係あるのではないか」、校正で削除されるものは?」と考えていきます。

同訓異字の出例

出例
- 庭に**クレ**竹を植える。
- 大木の幹が節**クレ**立っている。

答…呉　榑

意味…呉竹は竹の一種。節榑立つは木などが節が多く凸凹している様子。

「書くことは確認すること」と言います。面倒と思わず、一字一字実際に書いて覚えましょう。

「国字」の問題も出題されます

以前の試験では、国字は独立した大問でしたが、書き取り問題に含まれるようになりました。第19問～第20問が国字の問題になります。

「国字」は日本で生まれた漢字

国字は日本で生まれた漢字で、**和字**とも呼ばれています。1級用の国字は**120字**あります。短文中のカタカナ部分を漢字に直す形式で出題されます。

国字の出例

出例　家具が部屋の天井に**ツカ**えた。　答…閊

出例　**センチメートル**単位で測る。　答…糎

国字の正答率は非常に高い

以前の問題形式では、他の問題の正答率が5割前後であるのに対し、国字の**正答率は8割以上**と高いものでした（受験者全体）。問題形式が変わり、国字の問題数が減ったとはいえ、

国字の数は120字と少ないため、引き続き高い正答率が予想されます。

国字は日本漢字能力検定協会から出されている『漢検要覧1級／準1級対応』（日本漢字能力検定協会）（以下「要覧」）に部首別に整理されているので、要領よく覚えるようにしましょう。

（三）語選択・書取り

●配点 1問2点×5問＝10点（総得点の5％）

問題文の意味を的確に表す語をひらがな表記の選択肢の中から選び、漢字に直す問題です。

漢字は主に1級用漢字

語そのものがかなり難解で、高度な語彙力が要求される問題です。正答率は低く、3割を下回ります（受検者全体）。読みや書き取りの勉強をする中で、意味がわからない語は辞書で調べる習慣を身につけましょう。

熟語の出題傾向*

1級 40%
2級以下 30%
準1級 30%

語選択・書取りの出例

出例 遠い子孫。 答…苗裔（びょうえい）

出例 長い距離を飛びとおすこと。 答…翔破（しょうは）

（四）四字熟語

●配点 1問2点×10問＋1問2点×5問＝30点（総得点の15％）

問1は四字熟語中の二字を選択肢から選んで書く問題、問2は掲出された意味を表す四字熟語を選択肢の中から選び、そのうちの二字の読みを答える問題です。

四字熟語は中国の故事や仏教語などがもとになっている

四字熟語は中国の故事などがもとになっているものが数多くあります。棒暗記するのではなく、成り立ちの背景を知ることによって記憶に残しましょう。

四字熟語の級別出題割合*

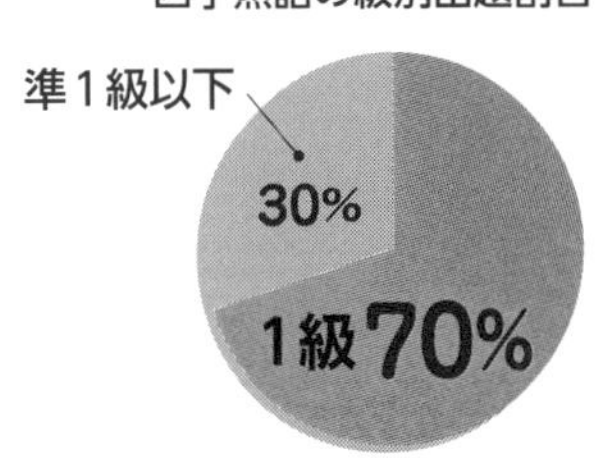

＊常用漢字表の表外読みには1級用と準1級用の音・訓があり、それぞれ該当級の漢字として集計しています。

四字熟語（問1）の出例

出例 （　）蓬矢　答…**桑弧**　選択肢…**そうこ**

意味…男子が志を立てることのたとえ。古代中国で、男子が生まれると桑で作った弓と蓬でできた矢を天地四方に射て、将来大きく羽ばたいてほしいと願ったことから。

出典 **故男子生、桑弧蓬矢六、以射天地四方…**（『礼記』射義）

出例 （　）虎頸　答…**燕頷**　選択肢…**えんがん**

意味…武芸に秀でた勇ましい武者の容姿のたとえ。遠国の諸侯となる人相のこと。

出典 **生燕頷虎頸、飛而食肉、此萬里侯相也。**（『後漢書』班超列伝）

出例 曲突（　）　答…**徙薪**　選択肢…**ししん**

意味…災難を未然に防ぐこと。

出典 **曲突徙薪無恩沢。**（『漢書』霍光伝）

出例 危言（　）　答…**覈論**　選択肢…**かくろん**

意味…正しいと思う主張について、激しく議論を戦わせること。

出典 **林宗雖善人倫、而不為危言覈論、故宦官擅政而不能傷也。**（『後漢書』郭符許列伝）

出例 （　）取義　答…**舎生**　選択肢…**しゃせい**

意味…命を犠牲にしても正義を守ること。

出典 **義、亦我所欲也、二者不可得兼、舎生而取義者也。**（『孟子』告子上）

四字熟語（問2）の出例

出例 きわめて質素なこと。↓選択肢から「**藜杖**韋帯」を選ぶ　答…**れいじょう**

出例 粗末な服装のたとえ。↓選択肢から「荊釵**布裙**」を選ぶ　答…**ふくん**

出題は「漢検　四字熟語辞典」から

平成23年度から令和5年度まで過去13年間の問題はほとんどが『**漢検　四字熟語辞典（第二版）**』（日本漢字能力検定協会）から出題されています。折にふれて辞典を手に取り、意味と書き方を覚えましょう。ただし、『漢検　四字熟語辞典』に載っていない四字熟語が出題されることもあります。

（五）熟字訓・当て字

●配点 1問1点×10問＝10点（総得点の5％）

主に動植物などの特殊な読み方が問われます。

専用の辞書で楽しみながら覚えよう

熟字訓は二字以上で表記されたことばを**訓読みにする**ものです。「匕首」を「ひしゅ」と読むのは普通の読み方、これを「**あいくち**」と読むのが熟字訓です。また当て字は、もともとの字義とは無関係な読み方をするものを言います。「難読漢字辞典」など特殊な読み方を集めた辞書がありますが、これをひもとくと新しい発見が必ずあります。楽しみながら覚えましょう。

熟字訓の問題は動植物の名前が多い

出題は動植物の名前が7割程度を占め、そのほか人事、自然、地名・国名などに関する読み方が出題されます。

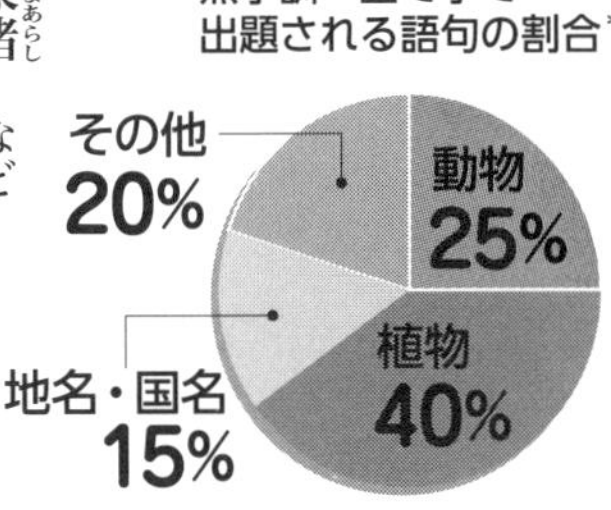

熟字訓・当て字で出題される語句の割合＊

動物名の出例

出例 馴鹿（トナカイ）、石竜子（とかげ）、金糸雀（カナリア）、豪猪（やまあらし）　など

植物名の出例

出例 天糸瓜（へちま）、鳶尾（いちはつ）、百日紅（さるすべり）、鴨跖草（つゆくさ）　など

人事等の出例

出例 文身（いれずみ）、月代（さかやき）、型録（カタログ）　など

（六）熟語の読み・一字訓読み

●配点 1問1点×10問＝10点（総得点の5％）

漢字の読みだけでなく、字義を正しく理解しているかが問われます。

漢字のもつ意味を正しく覚える

この問題では熟語の音読みと、その字義にふさわしい訓読みが問われます。**出題される漢字はすべて1級用漢字**です。

熟語の読み・一字訓読みの出例

出例 惻怛／怛む　　答 そくだつ／いた（む）

音読み／訓読み対照ノートを作ろう

『要覧』に出ている訓読みは、その漢字の字義を含みます。出題例の「怛」には「いた（む）」のほかに「おどろ（く）」という読み方もあります。そういう意味をもつ漢字と捉えてよいでしょう。「いた（む）」の意味の熟語は出題例のほかに「怛傷」「怛悼」など、「おどろ（く）」の意味の熟語は「驚怛」「駭怛」などがあります。

漢和辞典をつかって、音読みとそれにふさわしい訓読みを

＊常用漢字表の表外読みには１級用と準１級用の音・訓があり、それぞれ該当級の漢字として集計しています。

ノートに書き出してみましょう。

（七）対義語・類義語

●配点　1問2点×10問＝20点（総得点の10%）

対義語・類義語は対で覚えるようにしましょう。

語義がわからなければ始まらない

対義語・類義語各5問、ひらがなで書かれた選択肢の中から選んで漢字で書く問題ですが、使われる漢字の**8割は1級用漢字**です。

対義語の出例

出例　麤笨　⇔　（　　）　　答…細緻

難しい問題です。まず「麤笨」の意味がわからなければなりません。「麤笨」の読みは「そほん」、どちらも「粗い」という意味ですので、そこから「細緻」という解答が導かれます。

類義語の出例

出例　忸怩　＝　（　　）　　答…慙愧

「忸怩たる思い」「慙愧に堪えない」など現代でも使われることばですので、比較的やさしい問題と言えます。

（八）故事・諺

●配点　1問2点×10問＝20点（総得点の10%）

故事・成語・諺のカタカナ部分を漢字で記す問題です。

成り立ちを覚えると印象に残る！

故事・成語は中国の古典に典拠をもっています。その成り立ちを知ることでより理解が深まります。「故事成語辞典」、また諺も載っている「故事・成語・諺辞典」などの類が刊行されています。

故事・成語をもとにした出例

出例　**クンユウ**は器を同じくせず。　　答…薫蕕

意味…善人と悪人は同じ場所にいることができないということのたとえ。「薫蕕」は良い匂いと悪い匂いのこと。また、善人と悪人のこと。

出典　回聞薫、蕕不同器而蔵…（『孔子家語』致思）

出例　**ショウリョウ**深林に巣食うも一枝に過ぎず。　　答…鷦鷯

意味…みそさざいは深い林に巣を作るが、必要なのは1本の枝に過ぎない。人はその能力や身分に応じて、境遇に満足するのが良いというたとえ。

出典　鷦鷯巣於深林、不過一枝…（『荘子』逍遥遊）

諺をもとにした出例

出例 **ヤスリ**と薬の飲み違い。

解説…早合点や早とちりをすると、大変なことになること。「鑢」は木などを削るための工具。

答…鑢

出例 同じ穴の**ムジナ**。

解説…一見無関係のように見えて、実は同類・仲間であることのたとえ。通常、悪者について言う。

答…狢・貉

（九）文章題

●配点 1問1点×10問＋1問2点×10問＝30点（総得点の15％）

主に文語体で書かれた文章中の漢字の読み書きを問われる問題です。使われる漢字は1級用が8割以上を占めています。

どんな文章でもすらすら読めるようにしよう

文章題には決まった傾向はほとんどないと言ってよいでしょう。平成23年度から令和5年度まで過去13年間で合計100篇近く出題されていますが、著者に関してはすべて別人、ジャンルも小説・評論・日記・紀行文などさまざまです。

文章題の対策は、迂遠なようですが読書によって語彙力／読解力を高めること、これに尽きます。読解力を高めれば文脈から問われている漢字の意味を推測することができます。

まずは森鷗外、夏目漱石、更には尾崎紅葉、幸田露伴など入手しやすいものから読んでみましょう（これに中国を題材にした中島敦の作品を加えるとよいでしょう）。

長文問題の出題割合*

2級以下 13%
準1級 10%
1級 77%

文語体の文章に慣れよう

同じく過去13年間の出題では約9割が**文語体**で書かれた文章です。鷗外、漱石などにも文語体の作品がありますが、現在刊行されていない著作物は図書館で閲覧するしかありません。「**明治文學全集**」（筑摩書房）が備え付けてあれば、1冊でも1篇でもよいですから目を通してみて下さい。

令和5年度に出題された作品（一部）

綱島梁川『心のたどり』／中江兆民『三酔人経綸問答』
プーシキン『露国奇聞　花心蝶思録』（高須治助訳）
北村透谷『心機妙変を論ず』／三宅雪嶺『哲学涓滴』

＊常用漢字表の表外読みには1級用と準1級用の音・訓があり、それぞれ該当級の漢字として集計しています。

1級の採点基準

教科書体と明朝体

1級では、常用漢字については教科書体、表外漢字については日本漢字能力検定協会で定めた字体が採点の基準になります。

教科書体とは、小学校の教科書につかわれている文字の字体のこと。

教科書体	姦	呟	訥
明朝体	姦	呟	訥

表外漢字の字体は明朝体で、「漢検要覧1級／準1級対応（日本漢字能力検定協会発行）」に紹介されています。

許容字体・旧字体OK

1級用漢字表には「標準字体」と「許容字体」がありますが、書取りではどちらで書いてもかまいません。例えば「しらみ」を漢字で書く場合、「標準字体」をつかって「蝨」と書いてもいいし、「許容字体」をつかって「虱」と書いても正解です。

また、問題に指定がなければ（例えば新字体にせよ）、「拡」の字を旧字体で「擴」と書いても、字が正確であれば正解です。

一画一画丁寧に

教科書体と明朝体では字体が少し違いますが、明朝体が基本の表外漢字であっても、解答は教科書体のように書くのが基本です。

行書体や草書体のように崩した字体は、採点の対象にしてもらえません。一画一画、はねるところ、続けて書くところ、離して書くところ、点のあるなし、などにも注意して書くことが必要です。

⻍は⻌、⺬は礻で可

部首が「⻍」「⺬」「𩙿」などの場合は、「⻌」「礻」「飠」と書いてかまわないことになっています。「⻍・⻌」、「祀・祀」「餉・餉」、いずれも正解になります。

また、字の中に「⺿・⻀」の部分を含むものは「艹」と書いてもかまいません。例えば「芒」でも「芒」でも正解です。

漢字の骨組・組立を正しく

書き取りの解答では、

①画数が合っているか。

②字の骨組が正しく書けているか。

③字の組立が変わらないか。

などに注意して書かなくてはいけません。例えば、標準字体が「云」だからといってこのとおり書くと、一画増えてしまいます。「厶」のところは「厶」と二画で書かなくてはいけません。

また、「缸」を「缸」のように書くのは字の骨組みを崩してしまうことになり、不正解です。「莉」を「莉」と書いたりすると、字の組立を変えてしまうことになり、これも不正解となります。

八〇%程度正解で合格

合格は正解率八〇パーセント程度です。1級は二〇〇点満点ですから、一六〇点程度取れば合格です。

1級の実施要項

受検資格に制限なし

受検資格　小学校、中学校、高等学校、専門学校などの児童、生徒から大学生、社会人まで、だれでも受検できます。

申込方法　インターネット上にある専用の「受検者マイページ」で受付を行います。検定料の支払いはクレジットカードやコンビニ店頭で行います。学校や企業などで志願者が一定以上まとまると団体受検ができます。申込方法は個人の場合と変わります。

検定料　検定料は変わることがあるので、漢字検定の広告や問合せ先のホームページなどで見るようにしましょう。

申込期間　検定日の約二か月前から約一か月前まで。

申込後の変更　申込締切日までは、「マイページ」上で「住所」「電話番号」「受検地」の変更および「検定料が同じ級」への変更、申込キャンセルが可能です。「検定料が異なる級」への変更は、元の受検級のキャンセル後に再申し込みが必要です。

全国で定期的に実施

検定日　定期的に実施しています。検定協会に問い合わせて下さい。

検定会場　全国主要都市。申込時に記載されている検定会場から自分の希望する会場を選択します。

検定時間　六〇分。開始時間の異なる級を選べば、二つ以上の級を受検することができます。

合否の発表　検定日から所定の日数後、合格者には合格証書、合格証明書、検定結果通知などが、また不合格者には検定結果通知が郵送されます。

問合せ先　公益財団法人日本漢字能力検定協会（本部：〒605－0074京都市東山区祇園町南側551番地）ホームページにある「よくある質問」を読んで該当する質問がみつからなければメールフォームでお問合せください。電話でのお問合せ窓口は〇一二〇－五〇九－三一五（無料）です。

検定日の心得

①受検票を忘れず持参しましょう。受検中、受検票を机の上におかなくてはなりません。

②検定会場へ自動車やバイクで行くのを禁止している会場が多いので事前に確認しましょう。

③ＨＢかＢの鉛筆、または濃いシャープペンシルを持参しましょう。鉛筆は二本、また鉛筆がけずれる簡単なものを用意しておくと安心です。そして、消しゴムも。ボールペン、万年筆などの使用は認められません。

④検定開始の一五分前に検定会場に入りますので、遅れないようにしましょう。

⑤検定中は携帯電話の電源を必ずＯＦＦにしておきます。

⑥検定が終わると全員に標準解答が郵送されます。自分が書いた答えを覚えているうちに標準解答で自己採点をしましょう。

⑦検定が終わっても受検票は捨てないで、合否通知が届くまで大切に保存しましょう。

※ 本書の情報は2024年10月現在のものです。

テストに入る前に

①テストに取りかかる前に、P.121からの「チカラがつく資料」に目を通されることをおすすめします。

②解答は筆画を正しく、明確に記すこと。

③解答時間を守ること。

④最後の第17回までやりとげること。

⑤自己採点は厳格に行うこと（別冊の解答と照合する）。

⑥間違えたところは二度と間違えないように心がけること。

テスト&資料（チカラがつく）

【テストの構成】

（一）読　み
（二）書き取り
（三）語選択・書取り
（四）四字熟語
（五）熟字訓・当て字
（六）熟語の読み・一字訓読み
（七）対義語・類義語
（八）故事・諺
（九）文章題

本試験型 1級 第1回★テスト

〈60分〉

合計点

200点満点の　　点

- 160点以上 合格
- 130点以上 もう一度学習を
- 100点以上 猛勉強が必要
- 99点以下 受検級を考え直しましょう

1×30　　/30

(一)

次の傍線部分の読みをひらがなで記せ。
1～20は**音読み**、21～30は**訓読み**である。

1 山林羈靮少なく世路艱難多し。（　）
2 涓滴岩を穿つ。（　）
3 天黄土を降らし昼夜昏霾す。（　）
4 日に群行し市に丐取す。（　）
5 始めて楽のおこるや翕如たり。（　）
6 先達の鞋痕を辿って行く。（　）
7 耿耿として暁まで眠れず。（　）
8 鬼神集まって雲冪冪たり。（　）
9 牙纛の下に大軍が結集した。（　）
10 手足胼胝して以て其の親を養う。（　）
11 林中の鶯梭は巧みに布を織る。（　）
12 一臠の肉を嘗めて一鑊（いっかく）の味を知る。（　）
13 麤笨な仕事ぶりに呆れる。（　）
14 英奇を仄陋に采る。（　）
15 羌管一声、何れの処の曲ぞ。（　）
16 壎篪相和す。（　）
17 王墓は堙塞されて何世紀か経った。（　）
18 飯を流歠する様子に眉をひそめる。（　）
19 君上善を好めば民に諱言無し。（　）
20 祖を念い、其の徳を聿修す。（　）
21 烈士は営みを苟にせず。（　）
22 罧で魚や蝦をとる。（　）

23 夕立後の潦に青空が映っている。
24 また父の諄い説教が始まった。
25 漢王食を輟め哺を吐く。
26 鑷で棘を抜き取った。
27 人臣、意を肆にし欲を陳ぶる。
28 朝に耕し、暮れに耘る。
29 悪夢に魘われて目が覚めた。
30 舂きて飯時にならんとする。

2×20 /40

(二)

次の傍線部分の**カタカナ**を**漢字**で記せ。19、20は**国字**で答えること。

1 暫らくその場で**チョリツ**していた。
2 荷物は**ソリ**で運んだ。
3 群衆がやんやと**ハヤ**し立てた。
4 **ムクゲ**の花が次々に開く。
5 毎日**コツコツ**と勉強する。
6 **ソウソウ**たるメンバーが顔を揃えた。
7 不養生が**タタ**って入院した。
8 終戦になって**フリョ**を解放する。
9 私財を**ナゲウ**って支援する。
10 民主主義を**ヒョウボウ**する。
11 古い本の**シオリ**を懐かしむ。
12 **イダテン**走りで急を知らせる。
13 **モタイ**に酒を満たす。
14 ご飯をお**ヒツ**に移す。
15 演壇上で**シシク**する。
16 春も**タケナワ**の頃となる。
17 若き君主を**サンジョウ**する。
18 主人の車の**サンジョウ**になる。
19 藍染の生地を**シンシ**張りにする。
20 鎧の背に**ホロ**をつけて出陣する。

(三)

2×5　／10

次の1～5の意味を的確に表す語を、左の□から選び、**漢字**で記せ。

1 けちなこと。（　　）

2 余計な口出しをすること。（　　）

3 きびしく断ること。（　　）

4 惜しむべき傷、欠点。（　　）

5 おもねり、へつらうこと。（　　）

あゆ・かきん・けんこ・しゅんきょ
ぜいげん・せっけん・ようかい・りんしょく

(四)

2×15　／30

次の**問1**と**問2**の四字熟語について答えよ。

問1 次の四字熟語の（1～10）に入る適切な語を下の□から選び**漢字二字**で記せ。

1（　　）牖戸	6 傴伏（　　）
2（　　）枝指	7 多銭（　　）
3（　　）響震	8 蚤寝（　　）
4（　　）院落	9 鬱肉（　　）
5（　　）負鼎	10 海内（　　）

あんき・いいん・いんぷ・えいがい
しゅうせん・ぜんこ・ちゅうびゅう・べんぼ
よういく・ろうほ

問2 次の1～5の**解説・意味**にあてはまる四字熟語を後の□から選び、その**傍線部分だけの読み**を**ひらがな**で記せ。

1 正当でない方法を用いることのたとえ。（　　）

2 書体が作られたときの故事。（　　）

3 時間は何よりも貴重である。（　　）

4 目的を達するまでは帰らないという決意。（　　）

5 無能で取るに足りない人のこと。（　　）

尺璧非宝・豚蹄穣田・冢中枯骨・祖逖之誓
倍日并行・踰牆鑽隙・母望之禍・史籀大篆

(五)

1×10 ／10

次の**熟字訓・当て字**の**読み**を記せ。

1 款冬（　　）
2 赤楝蛇（　　）
3 朱欒（　　）
4 希臘（　　）
5 皁莢（　　）
6 枸骨（　　）
7 青竜蝦（　　）
8 鴨跖草（　　）
9 鉄漿（　　）
10 洋琴（　　）

(六)

1×10 ／10

次の**熟語**の**読み**（**音読み**）と、その**語義**にふさわしい**訓読み**を（送りがなに注意して）**ひらがな**で記せ。

〈例〉健勝…勝れる → けんしょう／すぐ

ア 1 飫聞（　　）…2 飫きる（　　）
イ 3 丕図（　　）…4 丕きい（　　）
ウ 5 仍世（　　）…6 仍なる（　　）
エ 7 韜晦（　　）…8 韜す（　　）
オ 9 兌利（　　）…10 兌い（　　）

(七)

2×10 ／20

次の1～5の**対義語**、6～10の**類義語**を後の□の中から選び、**漢字**で記せ。□の中の語は一度だけ使うこと。

対義語

1 露骨（　　）
2 浄土（　　）
3 曖昧（　　）
4 静謐（　　）
5 寡黙（　　）

類義語

6 黒白（　　）
7 僅少（　　）
8 教導（　　）
9 墓地（　　）
10 散策（　　）

あろ・えいいき・えど・えんきょく
じょうぜつ・しょうよう・すんごう
せつぜん・そうかつ・ぼくたく

2×10

/20

(八) 次の故事・成語・諺のカタカナの部分を漢字で記せ。

1 借りる時の地蔵顔、返す時の**エンマ**顔。（　　）

2 豆腐に**カスガイ**、糠に釘。（　　）

3 **ノミ**と言えば槌。（　　）

4 青天の**ヘキレキ**。（　　）

5 **ロウ**(注)を得て蜀を望む。（　　）

6 **カンタン**の夢。（　　）

7 馬鹿と**ハサミ**は使いよう。（　　）

8 名を**チクハク**に垂る。（　　）

9 **キュウカツ**を叙する。（　　）

10 好んで酒を飲むべからず、**ビクン**にして止むべし。（　　）

(注) ロウ…中国の地名。

書き2×10
読み1×10

/30

(九) 文章中の傍線（1〜10）の**カタカナ**を**漢字**に直し、波線（ア〜コ）の**漢字**の**読み**を**ひらがな**で記せ。

A

無罪の女主人公が非業の死の読者の心に及ぼす影響の初段は、無慈悲なる浮世の浪に翻弄せられ、右に押し流され、左にただよい、足掻き悶ゆる悲惨憂苦の状に対して、熱閙[ア]紛乱の煩わしきを感じたる心が、女主人公の死を見ると共に、**カツゼン**[1]として心状一変し、寂静の極清爽の致を覚ゆるにあり。例えば春の野に出でて紅黄紫白いろいろに咲き乱れたる間を、蟻群の縦横に馳せ廻るさまを看つめ、頭脳岑々[イ]たるを覚ゆる時、一声鳴き破る雲雀に驚き、仰ぎて**イッペキ**[2]無辺涯の大空を眺め、神気頓に爽なるを覚ゆるが如し。天を仰ぐの一段は賢愚皆然り、しかれども天を仰ぎて見る

ア	1
イ	2
ウ	3
エ	4
オ	5
カ	6
キ	7
ク	8
ケ	9
コ	10

所は同じからず。或いは雲雀のみを看、或いは雲を眺め、或いは天国に思いを馳せ、或いは更に宇宙の大元を連想するに至る。されば又[4]カレン無邪気の死者に対して寂静の感を感ずるは何人も同一なる可しといえども、更に一段高く瞳を転ずれば、現世の福祉は無欠円満の慰安を与うるものにあらず。唯死こそは疾風迅雷も驚かし難き安眠、矢石刀鎗も破り難き安宅にして[5]シボまざる花の褥[ウ]、[6]アせざる錦繍の安楽椅子、[7]ムコ清浄のカレン児にいとふさわしき賜[エ]なりという感起こるべし。

(後藤宙外「美妙、紅葉、露伴の三作家を評す」より)

B 雨声会は元より風流文酒の燕集なり。然るに世人屢是を以て仏蘭西の[8]カンリンインに比せんとするものあるは、賓客の中逝くものあれば投票して新来の文人を邀[オ]え其の空席を満たさしむるの例ありしが為なるべし。川上眉山多年詩に痩せ酒に悲しみ遂に自刃するやわれ選ばれて其の席を襲えり。これ五年前明治四十四年初冬のことなり。われ其の時まで一度も貴人の前に出でたる事なかりき。曾て米国に在りし時日露講和全権大使高平公に見[カ]えたる事ありしと雖も親しく其の[9]ケイガイに接したるにはあらず。されば五年前始めて陶庵老公(注)を拝するや所謂野人礼にならわざるもの流汗頻りに背を潤すのみにして金虀(きんせい)玉鱠[キ]の佳肴も書生の黄嘴[ク]よく其の味わいを弁ずること能わず。眼は柳腰蘭瞼[ケ]の美女を見て却って驚き心は青唱翠歌を聴いて徒に戦々兢々たりしのみ。本年再び綺筵[コ]に陪す。わが心[10]キョウクする事また当時に異ならず。

(永井荷風「断腸亭雑稾」より)

(注) 陶庵老公…西園寺公望のこと。

本試験型

1級 第2回★テスト

〈60分〉

合計点

200点満点の　　点

- 160点以上 合格
- 130点以上 もう一度学習を
- 100点以上 猛勉強が必要
- 99点以下 受検級を考え直しましょう

(一)

1×30　　/30

次の傍線部分の読みをひらがなで記せ。1〜20は音読み、21〜30は訓読みである。

1 軍役は肉を以て餒虎に投ずる如し。（　）
2 人生奄忽として飆塵の若し。（　）
3 佞猾を以て巨万の富を得る。（　）
4 戦火に追われ諸処に鶉居する。（　）
5 千金の珠は驪竜の頷下にあり。（　）
6 誠に靦汗の至りである。（　）
7 カーニバルの熱鬧に酔う。（　）
8 漢は中世以下閹豎擅恣なり。（　）
9 夜空に朏魄が白く輝く。（　）
10 嘉事多く、飫賜に暇なし。（　）
11 騏驥も一躍にして十歩なること能わず。（　）
12 饕餮文の青銅器が展示されている。（　）
13 溢れる思いに欷歔の声を洩らした。（　）
14 一縷の任を以て千鈞の重きを係く。（　）
15 心を恬蕩に安んず。（　）
16 榾柮を炉にくべる。（　）
17 官職を褫奪された。（　）
18 功成りて身退かざるは古より愆尤多し。（　）
19 漸くのことで中務省の掾吏となった。（　）
20 木葉川流、顫動せざる莫し。（　）
21 楚人に盾と矛とを鬻ぐ者有り。（　）
22 人のここに亡ぶる、邦国殄く疾む。（　）

23 靠れ合った関係を解消する。（　　）
24 老いぬとてなどかわが身を鬩ぎけむ。（　　）
25 祭りの後、膰を同族に頒つ。（　　）
26 高坏に様々な木の実を盛る。（　　）
27 魘されて奇声を発する。（　　）
28 燧を鑽り火を改む。（　　）
29 儻いは誘き寄せて擒える狙いか。（　　）
30 前栽の陰から袓姿の少女が現れた。（　　）

(二)

2×20

/40

次の傍線部分のカタカナを漢字で記せ。19、20は国字で答えること。

1 鬱陶しいバイリンの季節になった。（　　）
2 門にカンヌキを掛ける。（　　）
3 定年後はブリョウに苦しんだ。（　　）
4 カト文字は中国古代の文字だ。（　　）
5 デガらしの茶をすする。（　　）
6 天にショウリツする山々を仰ぐ。（　　）
7 波止場までハシケに乗った。（　　）
8 まだモウロクする年ではない。（　　）
9 その話は人口にカイシャしている。（　　）
10 リンギ書作成に生成AIを使う。（　　）
11 アンミツが大好物だ。（　　）
12 室内はスえた臭いが充満していた。（　　）
13 ロウたけた美女が案内に出た。（　　）
14 カナマリの水を飲む。（　　）
15 ソウソウと水が流れる。（　　）
16 若い時からケイカンな男だった。（　　）
17 ケイカンして故郷に帰る。（　　）
18 髪を梳りケイカンを結う。（　　）
19 スイ臓の精密検査をする。（　　）
20 冗談はサテ置いて～。（　　）

2×5 ／10

(三)

次の1～5の意味を的確に表す語を、左の□から選び、**漢字**で記せ。

1 戦争で敵に捕らわれた者。（　　）
2 寒さが厳しいこと。（　　）
3 からかうこと。（　　）
4 文章や言葉遣いが正しく品のあること。（　　）
5 伝え残すおしえ。（　　）

いくん・がじゅん・こうち・たんせい
ちょうば・ふりょ・やゆ・りんれつ

2×15 ／30

(四)

次の **問1** と **問2** の四字熟語について答えよ。

問1 次の四字熟語の（1～10）に入る適切な語を下の□から選び**漢字二字**で記せ。

1	（　　）歳月	6	陶朱（　　）
2	（　　）当車	7	一箭（　　）
3	（　　）在側	8	長江（　　）
4	（　　）渉河	9	年災（　　）
5	（　　）糸連	10	含英（　　）

いとん・ぐうだん・げつおう
さた・さんし・しょか・そうちょう
てんざん・とうひ・ふくこう

問2 次の1～5の**解説・意味**にあてはまる四字熟語を後の□から選び、その**傍線部分だけの読み**を**ひらがな**で記せ。

1 つまらぬものを可愛がり身を滅ぼすこと。（　　）
2 貧しい街なかのあばら家。（　　）
3 人に対し傲慢な態度をとること。（　　）
4 物価安定策のひとつ。（　　）
5 粗略なもてなしのこと。（　　）

亢竜有悔・水天髣髴・粉粧玉琢・懿公喜鶴
醴酒不設・眄視指使・窮閻漏屋・賤斂貴発

(五)

1×10　／10

次の**熟字訓・当て字の読み**を記せ。

1 冬青（　　）
2 虎杖（　　）
3 紫金牛（　　）
4 鶏児腸（　　）
5 星港（　　）
6 五加（　　）
7 矮鶏（　　）
8 活計（　　）
9 零余子（　　）
10 翻筋斗（　　）

(六)

1×10　／10

次の**熟語の読み**（**音読み**）と、その**語義**にふさわしい**訓読み**を（送りがなに注意して）**ひらがな**で記せ。

〈例〉健勝…勝れる → けんしょう／すぐ

ア 1 隕石（　　）…2 隕ちる（　　）
イ 3 左袒（　　）…4 袒ぐ（　　）
ウ 5 遏雲（　　）…6 遏める（　　）
エ 7 叮嚀（　　）…8 嚀ろ（　　）
オ 9 怪訝（　　）…10 訝る（　　）

(七)

2×10　／20

次の1～5の**対義語**、6～10の**類義語**を後の□の中から選び、**漢字**で記せ。□の中の語は一度だけ使うこと。

対義語

1 仰望（　　）
2 少食（　　）
3 賢明（　　）
4 良貨（　　）
5 感謝（　　）

類義語

6 格闘（　　）
7 出兵（　　）
8 予測（　　）
9 微官（　　）
10 秋空（　　）

えんさ・ぎゃくと・けんたん・しょり
すいし・はくせん・びたせん・びんてん
ふかん・ろどん

2×10
□/20

(八) 次の故事・成語・諺のカタカナの部分を漢字で記せ。

1 コウガ月に奔る。（　　）

2 煦煦を以て仁となし、ゲツゲツ(注)を義となす。（　　）

3 フザンの夢。（　　）

4 供養よりセギョウ。（　　）

5 フクシャの戒め。（　　）

6 タイカの顚れんとするは一木の支うる所に非ず。（　　）

7 セキシュを以て江河を障う。（　　）

8 鬼のカクラン。（　　）

9 ニジュ虐を為す。（　　）

10 富貴はキョウシャを生じ、きょうしゃは淫乱を生ず。（　　）

(注) ゲツゲツ…ひとりきりのさま。

書き2×10
読み1×10
□/30

(九) 文章中の傍線（1〜10）のカタカナを漢字に直し、波線（ア〜コ）の漢字の読みをひらがなで記せ。

A 往時江戸の柳営(注)に於いては毎年正月元旦には兎のアツモノ[1]の佳例ありしこと、人の善く知るところなり。其の昔、乃祖親氏間関流離の際、永亨十二年庚申の正月元旦、信濃の山里なる林藤介の家に投じ、兎のアツモノを薦められ、其の年より武運開けたるに起因し、子孫以て歳旦慶賀の恒例と為せしと云う。応永年間は公の時代を距つること百七十年、流氓[ア]の一沙門のキリョ[2]の山里に於ける食饌[イ]の一些事が、此の悠久の年月間、ソウソウ[3]の変ありたるにも拘わらず、且つ松平の本系に関係寡なき他姓の入婿の遺したる空漠たる故実が、公の時代迄二百年間子々孫々に相伝したりしとは決して信ぜられず、加之[ウ]有親父子は浄土時宗の行者にして、葷腥[エ]を茹[オ]うたりとも信ぜられず、且つ又永享十二年は応永十四年親氏の没後三十四年の後なり。其の信ずべからざること類(おおむ)ね此くの如し。

(村岡素一郎「史疑」より)

(注)柳営…幕府。将軍家。

B 美術の逸品傑作は吾人の精神を吸収し心目を奪うの力あるは復疑うべからざるなり。諸君若し優逸の画を熟視せば、或いは[4]コウコツとして塵寰[カ]の外に[5]ショウヨウするの想いをなすべし。(中略)若し[6]ロウレツなる画なれば啻[キ]に感覚の深からざるのみならず、或いは他の事物に意思を転移することなからずや。諸君若し目を閉じ口を噤[ク]じ静かに耳を音楽の[7]ジョウジョウたるに傾けば、則ち[8]バンライ頓に消え、美術上の妙想を除くの外、宇宙の間更に一介の事物なきを覚ゆべし。

(フェノロサ演説 大森惟中筆記「美術眞説」より)

C 予等は南山に来た。(中略)嗚呼此の地、劇戦の巷となって砲声喊声天地を撼かし、幾百の勇士は此処に[9]ホフられ、幾千の健児は彼処に傷つけられ、肝脳地に塗れ、死屍鮮血に漂い、腥羶の気山野を蔽うたはツイ昨日の事、今予等此処に来たって其の後景に接するに、酷烈酸鼻の状、予等をして目を蔽わしめた。(中略)ア、故山には糸繰る媼が隙間洩る風に手を休めて愛児を憂い、征衣を縫うの妻が懐に乳児を撫して良夫を思うの時、安[ケ]んぞ知らん、其の時既に其の良夫、其の愛児は肉飛び、骨摧[コ]け、流るる血潮は草を染めて、今又茲に[10]ダビ一片の煙と化したりとは!

(桜井忠温「肉弾」より)

1	ア
2	イ
3	ウ
4	エ
5	オ
6	カ
7	キ
8	ク
9	ケ
10	コ

本試験型

1級 第3回★テスト

〈60分〉

合計点

200点満点の　　点

- 160点以上 合格
- 130点以上 もう一度学習を
- 100点以上 猛勉強が必要
- 99点以下 受検級を考え直しましょう

1×30　/30

(一)

次の傍線部分の読みを**ひらがな**で記せ。
1～20は**音読み**、21～30は**訓読み**である。

1 刱業の精神を今も忘れない。（　）
2 戦死者の遺骸、山野に霑漬す。（　）
3 項伯、常に沛公を屏蔽す。（　）
4 倉廩実ちて囹圄空し。（　）
5 漢興りしより天下乂安なり。（　）
6 心を竭くして自ら勖厲す。（　）
7 角笛を合図に広場に麕集した。（　）
8 廬塋で先考の喪に服す。（　）
9 被災地に物資を出捐する。（　）
10 僉議するも未だ結論は出ない。（　）
11 冢中の枯骨、何をか言わんや。（　）
12 兵を唆嗾して前線に向かわせる。（　）
13 彭殤を斉しくするは妄作為り。（　）
14 銛戈を突き付けて要求を呑ませた。（　）
15 貽厥を固く守り領国を維持した。（　）
16 智慧浅劣、復冀望する無し。（　）
17 広袤十里四方を超える。（　）
18 道を論じ邦を経し陰陽を燮理す。（　）
19 秀句有りて瑰瓊の如し。（　）
20 山に糵を槎らず。（　）
21 武を偃せて文を修む。（　）
22 泥水を歠っても生きる。（　）

23 太い椽が屋根を支えている。（　　）
24 兜の錏を摑んで引き寄せた。（　　）
25 我が身を笞つように勉学に励む。（　　）
26 前には倨りて後には恭し。（　　）
27 在所の近所に刳り舟あり。（　　）
28 篁が風にそよぐ。（　　）
29 葱の饅を副菜にする。（　　）
30 髪を截りて以て酒肴に易う。（　　）

2×20 □ /40

(二)

次の傍線部分の**カタカナ**を**漢字**で記せ。
19、20は**国字**で答えること。

1 秦始皇帝陵から兵馬**ヨウ**が発見された。（　　）
2 **ランル**を身に纏って身分を隠す。（　　）
3 **コンシン**の力を込めて米俵を担ぐ。（　　）
4 この谷に平家の**マツエイ**が隠れ住んだ。（　　）
5 大きな**ムクイヌ**を飼っている。（　　）
6 悪人に**テンケン**が下る。（　　）
7 有名人の名を**カタ**った詐欺事件が起こる。（　　）
8 人生の**ヒダ**を刻む。（　　）
9 特訓の効果は**テキメン**だった。（　　）
10 **ザンニュウ**を正した改訂版を出す。（　　）
11 証言の**シンピョウ**性が問題とされる。（　　）
12 **ヨシズ**張りの茶店で休む。（　　）
13 お**アツラ**え向きに夜来の雨があがった。（　　）
14 槍の**イシヅキ**をとんと突いた。（　　）
15 週刊誌上で**ヒッチュウ**を加える。（　　）
16 我々は同門の**ヒッチュウ**である。（　　）
17 **ハゼ**を何尾か釣り上げた。（　　）
18 **ハゼ**の紅葉が美しい。（　　）
19 屋根の下地に**コマイ**をわたす。（　　）
20 **チドリ**は群をなして飛ぶ。（　　）

（三） 2×5 ／10

次の1～5の意味を的確に表す語を、左の［　］から選び、**漢字**で記せ。

1 取り越し苦労。（　　）
2 外敵をうちこらすこと。（　　）
3 大勢の人のなかで特にすぐれた人。（　　）
4 軍隊や旅人の荷物。（　　）
5 外交官などが任地に留まること。（　　）

きゅう・きょはく・しちょう・しゅかい
しょうりょ・ちゅうさつ・ようちょう・りょうじ

（四） 2×15 ／30

次の**問1**と**問2**の四字熟語について答えよ。

問1 次の四字熟語の（1～10）に入る適切な語を下の［　］から選び**漢字二字**で記せ。

1（　　）口弁	6 蓋瓦（　　）
2（　　）幽明	7 胡漢（　　）
3（　　）忘辛	8 寸草（　　）
4（　　）松茂	9 喜躍（　　）
5（　　）不羈	10 勇邁（　　）

きゅうせん・こうせい・しゅんき・しょくふ
たくらく・ちくほう・ちゅっちょく・べんぶ
りょうちゅう・りょうれき

問2 次の1～5の**解説・意味**にあてはまる四字熟語を後の［　］から選び、その**傍線部分だけの読み**を**ひらがな**で記せ。

1 美しい花と葉のこと。（　　）
2 代々の天子の徳で泰平の世が続くこと。（　　）
3 粗野な言葉とひそひそ話す言葉。（　　）
4 別れた後たちまち年月が去ること。（　　）
5 頑迷で無知なこと。（　　）

万目睚眦・重熙累洽・瓊葩綉葉・固陋蠢愚
麤言細語・黄粱一炊・聚散十春・輪奐一新

(五)

1×10　／10

次の**熟字訓・当て字**の**読み**を記せ。

1 海獺（　　）
2 梭魚（　　）
3 旋花（　　）
4 孑孑（　　）
5 水綿（　　）
6 西蔵（　　）
7 虎耳草（　　）
8 大角豆（　　）
9 連枷（　　）
10 靫負（　　）

(六)

1×10　／10

次の**熟語の読み**（**音読み**）と、その**語義**にふさわしい**訓読み**を（送りがなに注意して）**ひらがな**で記せ。

〈例〉健勝…勝れる → けんしょう　すぐ

ア 1 漲溢（　　）…2 漲る（　　）
イ 3 亟行（　　）…4 亟やか（　　）
ウ 5 嘗試（　　）…6 嘗みる（　　）
エ 7 狡猾（　　）…8 猾い（　　）
オ 9 銷夏（　　）…10 銷す（　　）

(七)

2×10　／20

次の1～5の**対義語**、6～10の**類義語**を後の□の中から選び、**漢字**で記せ。□の中の語は一度だけ使うこと。

対義語

1 過疎（　　）
2 昂然（　　）
3 愚直（　　）
4 清酒（　　）
5 肥満（　　）

類義語

6 窮極（　　）
7 脅迫（　　）
8 供奉（　　）
9 激浪（　　）
10 崩御（　　）

あんが・こしょう・しょうぜん・せきそう
だくろう・ちゅうみつ・どうかつ・どとう
ひっきょう・ろうかい

2×10

（八）　次の故事・成語・諺のカタカナの部分を漢字で記せ。　／20

1 海はスイロウ(注)を譲らず、以て其の大を成す。（　　）
2 世辞で丸めて、浮気でコねる。（　　）
3 法貴きに阿らず、縄曲にタワまず。（　　）
4 ナンカの夢。（　　）
5 キコの勢い。（　　）
6 身後金を堆くして北斗をささうとも生前のイッソンの酒にしかず。（　　）
7 百年の死樹キンシツに中る。（　　）
8 ニワカアメと女の腕捲り。（　　）
9 人のゴボウで法事する。（　　）
10 サイロウ(注)路に当たる、いずくんぞ狐狸を問わん。（　　）

（注）スイロウ…みずたまり。
サイロウ…極悪無慈悲な人のたとえ。

書き2×10
読み1×10

（九）　文章中の傍線（1〜10）のカタカナを漢字に直し、波線（ア〜コ）の漢字の読みをひらがなで記せ。　／30

A 「ポリス」は市中ジュンラ(1)の小官なり。陸軍兵士中の謹飭(ア)なる者を撰用すと云う。遠山形の帽子、蟬翼様の外套にして腰間に鉄(注1)鞘刀を佩(イ)べり。人一目して其の「ポリス」なることを知るべし。其の数弐千人に及ぶと云う。常に市街中に満布し、大雨烈風と雖もキツリツ(2)して動かず、或いは逐処にハイカイ(3)し以て非常を警(ウ)む。劇場観場の門口は言うに及ばず、郊外園囿と云えども稠(エ)人広衆の区(オ)には必ず数員出張し、車馬麕集の衢、傍行側出、来去織る如くなれども、能く条分科別し觝(カ)触に至らざらしめ、老少是に頼りて踖跌(注2)(せきてつ)なし。真に無かる可からざるの職なり。

（栗本鋤雲「暁窓追録」より）

ア	1
イ	2
ウ	3
エ	4
オ	5
カ	6
キ	7
ク	8
ケ	9
コ	10

（注1）鉄鞘刀…サーベル。（注2）踏跌…つまずくこと。

B 寛保三年の四月十一日、まだ東京を江戸と申しました頃、（中略）本郷三丁目に藤村屋新兵衛という刀剣商が御座いまして、その店頭には善美商品が陳列てある所を通行かかりました一人のお侍は、年齢二十一二とも覚しく膚色饗くまでも白く眉毛秀で、目元キリリッとして少し4カンシャクもちと見え、5ビンの毛をグーッと釣り揚げて結わせ、立派なお羽織に結構なお袴を着け、雪駄を穿いて前に立ち、背後に浅黄の法被に6ボンテン帯を結め真鍮巻の木刀を佩したる仲間が従い、此の藤新の店頭へ立ち寄りて腰を掛け、陳列てある刀類を通覧て、「亭主や、其処の黒糸だか紺糸だか識別んが、彼の黒い色の刀柄に南蛮鉄の7ツバが附いた刀は誠に善さそうな品だナ。キ鳥渡御見せ。」「ヘイヘイ、コリャお茶を差し上げな。今日は天神の御祭礼で大層に人が出ましたから、必然街道は塵埃でク嘸お困り遊ばしましたろう」

（三遊亭圓朝演述、若林玵蔵筆記「怪談牡丹燈籠第壹編」より）

C 只見る、ケ瑞靄其の腰を繞り、祥気其の中に満つ。百花嬌を呈し、千鶯音を弄す。風光8キビ、陽和9タイトウ、塵埃起こらず、香風徐に吹く。人として到らざる無く、客として遊ばざる無し。首を俯せば忍池澄々、青銭（注）浮かび、白鷺楽しむ。首を仰げば桜花コ簇々、芳雲靉き、香雪飛ぶ。芳樽を花陰深き処に倒し、10ウショウを香風起こる辺に飛ばし、詩を那の畔に吟じ、歌を此の辺りに咏ず。吟杖一たび到りて、百憂頓に消え、遊履先ず蹈みて、万楽忽ち生ず。

（三木愛花「情天比翼縁」より）

（注）青銭…蓮の葉のこと。

本試験型 1級 第4回★テスト

〈60分〉

合計点

200点満点の　　点

- 160点以上 合格
- 130点以上 もう一度学習を
- 100点以上 猛勉強が必要
- 99点以下 受検級を考え直しましょう

1×30　　/30

(一)

次の傍線部分の読みを**ひらがな**で記せ。
1〜20は**音読み**、21〜30は**訓読み**である。

1 運河は南北を綰轂し水陸の咽喉たり。（　　）
2 香盒に堆朱を施す。（　　）
3 薜茘を被り女蘿を帯とす。（　　）
4 蠡を以て海を測る。（　　）
5 軍需工場が莫大な贏利を上げる。（　　）
6 異姓の小邦には則ち叔舅と曰う。（　　）
7 逖遠の地に征討軍を送る。（　　）
8 謀叛の罪で隠岐に貶謫された。（　　）
9 冤枉を理め政刑の得失を察す。（　　）
10 四方の士、自ら衒鬻する者千人。（　　）
11 褶襞を重ねた裳が美しい。（　　）
12 先人の教えに舛忤する。（　　）
13 洞庭の二穴、幽邃なること測る無し。（　　）
14 兵を発して匈奴の大軍を邀撃せんとす。（　　）
15 躓礙して職を辞す。（　　）
16 嘗ては好んで画を搨写した。（　　）
17 人酔わざれば東園の花に辜負せん。（　　）
18 萍水相逢う、尽く是他郷の客。（　　）
19 篁牀に座を設える。（　　）
20 泉の水を抔飲する。（　　）
21 やかんの湯が滾る。（　　）
22 創立百周年を懋んな式典で祝う。（　　）

23 奉公人を容赦なく訶る。（　　）
24 常を蹈んで故を襲う。（　　）
25 枌板で屋根を葺く。（　　）
26 はやり立つ馬を扣える。（　　）
27 功を矜れば立たず、虚願は至らず。（　　）
28 天に跼り地に蹐す。（　　）
29 静かな雨が庭の芝生を浹す。（　　）
30 秋蚕を飼う。（　　）

（二）

2×20　／40

次の傍線部分の**カタカナ**を**漢字**で記せ。
19、20は**国字**で答えること。

1 白**ガイガイ**の山頂を望む。（　　）
2 余寒厳しい**ミギリ**、ご自愛下さい。（　　）
3 **リジ**に入り易いよう砕いて話す。（　　）
4 雑沓の中で連れと**ハグ**れた。（　　）
5 **ギマン**に満ちた一生をおくる。（　　）
6 誰の目にも**ザル**法だと分かる。（　　）
7 天下を**ヘイゲイ**する。（　　）
8 落ち窪んだ**ガンカ**が光る。（　　）
9 **ウラボン**の迎え火を焚く。（　　）
10 放牧の馬が**イナナ**く。（　　）
11 **ショウジョウヒ**の衣装が美しい。（　　）
12 **ナズナ**は春の七草のひとつだ。（　　）
13 頭越しに**エンピ**を伸ばす。（　　）
14 日曜大工で棚を**コシラ**えた。（　　）
15 復興に向けて活気が**ミナギ**る。（　　）
16 卵から雛が**カエ**った。（　　）
17 **ショウトウ**がもの寂しく聞こえる。（　　）
18 **ショウトウ**に髑髏の旗を掲げた。（　　）
19 一**ヘクトメートル**を走る。（　　）
20 湖で**ワカサギ**を釣る。（　　）

2×5 /10

(三) 次の1～5の意味を的確に表す語を、左の［　］から選び、**漢字**で記せ。

1 天と地。（　　）
2 緑の山のみね。（　　）
3 主君を殺し、その位を奪うこと。（　　）
4 せまくて汚い街中。（　　）
5 忙しく働いて暇がないこと。（　　）

おうしょう・けんこん・さんしい・すいらん
せんめつ・れいほう・ろうこう・わいおく

2×15 /30

(四) 次の**問1**と**問2**の四字熟語について答えよ。

問1 次の四字熟語の（1～10）に入る適切な語を下の［　］から選び**漢字二字**で記せ。

1（　　）之喜 ― 6 天宇（　　）
2（　　）楚乙 ― 7 安然（　　）
3（　　）布裙 ― 8 菜圃（　　）
4（　　）壌壌 ― 9 一門（　　）
5（　　）求火 ― 10 帰真（　　）

えつふ・きき・けいさい・こうひょう
すうそう・ちろ・ばくろう・はんはく
むよう・ろうしょう

問2 次の1～5の**解説・意味**にあてはまる四字熟語を後の［　］から選び、その**傍線部分だけの読み**を**ひらがな**で記せ。

1 非常に素早くゆり動かすこと。（　　）
2 宦官のこと。（　　）
3 見分けがつきにくいことのたとえ。（　　）
4 人民一般のこと。（　　）
5 人に悪い影響を与える書物のこと。（　　）

撲朔謎離・屠毒筆墨・泣斬馬謖・黄衣廩食
妻子眷族・飄忽震蕩・腹誹之法・刺草之臣

(五)

1×10　／10

次の**熟字訓・当て字**の**読み**を記せ。

1 望潮魚（　　）
2 合決（　　）
3 金縷梅（　　）
4 玉筋魚（　　）
5 厚皮香（　　）
6 見風乾（　　）
7 石決明（　　）
8 髻華（　　）
9 埃及（　　）
10 沢瀉（　　）

(六)

1×10　／10

次の**熟語**の**読み**（**音読み**）と、その**語義**にふさわしい**訓読み**を（送りがなに注意して）**ひらがな**で記せ。

〈例〉健勝…勝れる → けんしょう／すぐ

ア 1 弭息（　　）…2 弭める（　　）
イ 3 尸政（　　）…4 尸る（　　）
ウ 5 搴裳（　　）…6 搴げる（　　）
エ 7 歃血（　　）…8 歃る（　　）
オ 9 訓誨（　　）…10 誨え（　　）

(七)

2×10　／20

次の1～5の**対義語**、6～10の**類義語**を後の□の中から選び、**漢字**で記せ。□の中の語は一度だけ使うこと。

対義語

1 恭謙（　　）
2 直行（　　）
3 山麓（　　）
4 祝福（　　）
5 能弁（　　）

類義語

6 嘲笑（　　）
7 長雨（　　）
8 敬老（　　）
9 佳境（　　）
10 遠近（　　）

うかい・かじ・きょうまん・さんてん
ししょう・しゃきょう・じゅそ
しょうし・とつべん・りんう

2×10

（八）　/20

次の故事・成語・諺の**カタカナ**の部分を**漢字**で記せ。

1 **イモン**の望。（　　）

2 飛鳥の摯つやその首を**フ**す。（　　）

3 **ギョクフ**を乞う。（　　）

4 九仞の功を**イッキ**(注)に虧く。（　　）

5 士別れて三日、まさに**カツモク**して相待つべし。（　　）

6 変動することなお鬼神のごとし、**タンゲイ**すべからず。（　　）

7 疾風に**ケイソウ**を知る。（　　）

8 **フンケイ**の交わり。（　　）

9 天網**カイカイ**疎にして漏らさず。（　　）

10 学ぶ者は牛毛の如く、成る者は**リンカク**の如し。（　　）

（注）イッキ…わずかなもののたとえ。

書き2×10
読み1×10

（九）　/30

文章中の傍線（1～10）の**カタカナ**を**漢字**に直し、波線（ア～コ）の**漢字**の**読み**を**ひらがな**で記せ。

A　帝は既に六十に近かったが、気象の烈しさは壮時に超えている。神仙の説を好み方士巫覡(ア)の類を信じた彼は、それ迄に己の絶対に尊信する方士共に幾度か欺かれていた。（中略）こうした打撃は生来**カッタツ**(1)だった彼の心に、年と共に群臣への暗い**サイギ**(2)を植えつけて行った。（中略）硬骨漢汲黯が退いた後は、帝を取り巻くものは、**ネイシン**(3)に非ずんば酷吏であった。（中略）口を極めて彼等は李陵の売国的行為を罵る。陵の如き変節漢と肩を比べて朝に仕えていたことを思うと今更乍ら愧(イ)ずかしいと言い出した。（中略）陵の従弟に当たる李敢が太子の**チョウ**(4)を頼んで驕恣(ウ)である

ア	1
イ	2
ウ	3
エ	4
オ	5
カ	6
キ	7
ク	8
ケ	9
コ	10

こと迄が、陵への^5^ザンボウの種子になった。

（中島敦「李陵」より）

B 遠近法の欠乏は更に著しき事実なりとす。（中略）土佐派の製作の多くにありては、空中より^6^カカンせざれば描く能わざる画面の配列に於いて、地上の物象は却って側面の形体を完備するが如きは殆ど普通に見る所也。（中略）水墨画にありてはまま雲霞^7^ヒョウビョウ、煙雨^8^モウマイの景を描くところ、其の外見やや是に近きものありと雖も、其の意趣は則ち根本的に異なれり。^エ^雲暈の一種を以て景物の遠近を分隔するは本邦画家の慣用手段なりと雖も、是亦距離を表現せんが為の一種の約束、もしくは慣例に過ぎざるものとす。（中略）這般の事、少しく美術に志あるものの既に熟知し居るべきところ、吾人の^9^ゼイベンを待って知るを要せざるべし。

（高山樗牛「日本画の過去将来に就いて」より）

C 平生節倹にして華飾を喜ばず、朝儀・大礼の外は^オ^澣衣・^カ^麤食し、賓客に供するも(注)塩豉（えんし）・汁・飯・鶏卵羹に過ぎず。国に在りては必ず^キ^貲布の羽織に伊賀袴を著せらるるのみ。然れども学校は勿論、製作所・造硝所・陶器所・反射炉を創立する等には^ク^鉅費を^ケ^吝しまざりき。烈公は斯く多方面の知識を有し給い、而して熱烈なる精神と強固なる意思とを以て、常に天下の大勢を料り、夷狄の大患を慮り給いしかば、其の幕府に建白するに当たり、熱誠の溢るる所、言論往々奇矯に渉り、却って幕府の^10^ケンキを招けり。^コ^加之烈公の意を奉ずと称する輩の過激なる言動が、累を及ぼせることも亦少なからざりき。

（渋沢栄一「徳川慶喜公伝」より）

（注）豉…味噌や納豆などの大豆加工品。

本試験型

1級 第5回★テスト

〈60分〉

合計点

200点満点の　　点

●160点以上 合格
●130点以上 もう一度学習を
●100点以上 猛勉強が必要
●99点以下 受検級を考え直しましょう

1×30　／30

(一)

次の傍線部分の読みをひらがなで記せ。1～20は**音読み**、21～30は**訓読み**である。

1 小鶯飛び度りて窓櫺に縁る。（　　）
2 会設立の本義を闡明にする。（　　）
3 小人の交わりは甘きこと醴の如し。（　　）
4 滝の水が輝きながら迸散する。（　　）
5 文は短雋を以て人に勝る。（　　）
6 一簞の食一瓢の飲、陋巷に在り。（　　）
7 五寸の鍵、開闔の門を制す。（　　）
8 内に機密を幹し出でては誥命を宣ぶ。（　　）
9 藐焉として独り立つ。（　　）
10 蜀琴白雪を抽き郢曲陽春を発す。（　　）
11 鏗爾として瑟を舎きて立つ。（　　）
12 醯鶏は甕裏天幾ばくか大なる。（　　）
13 遐域に想いを馳せる。（　　）
14 陌上の桑は秦氏の女子より出ず。（　　）
15 覃耜を以て一年の耕作を始める。（　　）
16 名僧に除祟を依頼する。（　　）
17 檐鐸が微かな風で揺れた。（　　）
18 陽華賁飾を善くし常に后に教う。（　　）
19 袞竜の袖に隠る。（　　）
20 白居易は五兵尚書建の仍孫なり。（　　）

21 恋の重荷に朸無きこそ侘しけれ。（　　）
22 敗戦の責任者を皆で責め嘖む。（　　）

23 雲を遏め梁を遶る。
24 齲の治療をする。
25 政府の密命を銜み任地へ赴く。
26 水鳥は泳ぐとき蹼を使う。
27 蛇が頭を擡げる。
28 大暑石を鑠かし金を流す。
29 章甫を履に薦く。
30 卒業生に贐の言葉をおくる。

(二)

2×20 ／40

次の傍線部分のカタカナを**漢字**で記せ。19、20は**国字**で答えること。

1 ザンゼン頭角を現す。
2 藁にもスガる思いだ。
3 ジュウタン爆撃を開始する。
4 心労が重なりショウスイした。
5 幼い皇女にカシズく。
6 まず年齢でフルイに掛ける。
7 攻撃から巧みに身をカワす。
8 銀のカンザシをさす。
9 余裕シャクシャクたる態度で臨む。
10 セキレキとして秋風が吹く。
11 ご厚意カタジケナい。
12 仏殿のシビを修復する。
13 サンサンと涙を流す。
14 ヨシんば事実でないとしても。
15 端午の節句にチマキを作る。
16 上司にイシされる毎日だ。
17 隣町にイシする。
18 皇后のイシが発せられた。
19 萌黄オドシをつけた武者が行く。
20 ハタハタの飯ずしを作った。

2×5

/10

(三)

次の1～5の意味を的確に表す語を、左の［　］から選び、**漢字**で記せ。

1 狂人のふりをすること。（　　）
2 敵の攻撃を防ぐための堀。（　　）
3 土地の神と五穀の神。（　　）
4 わざわざおいで頂くこと。（　　）
5 ふぞろいなさま。（　　）

おうが・ざんごう・しゃしょく・しんし
ちぎ・てっぺき・ようきょう・れきほう

2×15

/30

(四)

次の**問1**と**問2**の四字熟語について答えよ。

問1 次の四字熟語の（1～10）に入る適切な語を下の［　］から選び**漢字二字**で記せ。

1（　　）赤火 ― 6 無余（　　）
2（　　）朝報 ― 7 張王（　　）
3（　　）抹角 ― 8 栄枯（　　）
4（　　）画塗 ― 9 擠陥（　　）
5（　　）之禍 ― 10 朮羹（　　）

がいしゅ・きかん・きゅうきゅう・ざんぶ
すいはん・だんらん・てんわん・ねはん
はくと・りちょう

問2 次の1～5の**解説・意味**にあてはまる四字熟語を後の［　］から選び、その**傍線部分だけの読み**を**ひらがな**で記せ。

1 人材が用いられていないことのたとえ。（　　）
2 至るところに悪人がいること。（　　）
3 悟りの境地に至ること。（　　）
4 財産管理をしっかりすること。（　　）
5 感動を与え教化すること。（　　）

感孚風動・虚融澹泊・宝鈿玉釵・蠹居棊処
句駮省便・井渫不食・流金鑠石・氷甌雪椀

(五)

1×10　　/10

次の**熟字訓・当て字**の**読み**を記せ。

1 菟葵（　　）
2 茱萸（　　）
3 斥候（　　）
4 漢堡（　　）
5 雁来紅（　　）
6 和栲（　　）
7 鳶尾（　　）
8 紅娘（　　）
9 神巫（　　）
10 射干（　　）

(六)

1×10　　/10

次の**熟語**の**読み**（**音読み**）と、その**語義**にふさわしい**訓読み**を（送りがなに注意して）**ひらがな**で記せ。

〈例〉健勝…勝れる → けんしょう／すぐ

ア 1 殷紅（　　）…2 殷い（　　）
イ 3 乖戻（　　）…4 乖く（　　）
ウ 5 裨益（　　）…6 裨ける（　　）
エ 7 寅畏（　　）…8 寅む（　　）
オ 9 扣制（　　）…10 扣える（　　）

(七)

2×10　　/20

次の1～5の**対義語**、6～10の**類義語**を後の□の中から選び、**漢字**で記せ。□の中の語は一度だけ使うこと。

対義語

1 微笑（　　）
2 遠慮（　　）
3 宥恕（　　）
4 重病（　　）
5 親切（　　）

類義語

6 美人（　　）
7 青空（　　）
8 懸隔（　　）
9 高官（　　）
10 一瞬（　　）

けいてい・こうじつ・こうしょう・じゃけん
しょうせき・しんしん・とっさ
びよう・へきらく・べっぴん

2×10

（八） 次の故事・成語・諺の**カタカナ**の部分を**漢字**で記せ。 /20

1 冠履を貴びて**トウソク**を忘る。（　）

2 鶍の**ハシ**。（　）

3 **アウン**の呼吸。（　）

4 法螺と**ラッパ**は大きく吹け。（　）

5 **クンユウ**は器を同じくせず。（　）

6 **ワラヅト**に黄金。（　）

7 鳩に三枝の礼あり、烏に**ハンポ**の孝あり。（　）

8 白頭新の如く、**ケイガイ**故の如し。（　）

9 人はみな**テツ**(注)につまずけども山につまずくことなし。（　）

10 巧詐は**セッセイ**にしかず。（　）

(注) テツ…ありづか。

書き2×10
読み1×10

（九） 文章中の傍線（1～10）の**カタカナ**を**漢字**に直し、波線（ア～コ）の**漢字**の**読み**を**ひらがな**で記せ。 /30

A ダンバーの小府は眼下に鯡魚を漁するの舟楫(ア)を瞰して又古城趾の廃垣断礎を存せり。突起せる岩石の岬高燥の地に位して正に風路に当たる。都てフォルス湾の浜は眼の及ぶ所、此くの如き高岬に沿いて凸凹を露し其の地海水美にして当今農民亦業に勤勉なるを以て皆**ジョウソク**(1)せり。ウィン石一抹の黒帯澳(イ)入せる境は蒼々漾々と起伏する日耳曼(ゲルマン)洋の波濤を画し、乃ち海を望めばセント・アッブのウィン石岬は東方の矚眺(ウ)に中たりて甚だ超々たらず。直ちに西方に接して曲江あり、淵深くして**タンタン**(2)たり。又ベルヘイブンと称する一小漁村あり。黒色のバッス島其の他の**トウショ**(3)は皆

ア	1
イ	2
ウ	3
エ	4
オ	5
カ	6
キ	7
ク	8
ケ	9
コ	10

[4]キツゼン海中に基布す。眼を転ずれば又[エ]夐かにファイフの丘を望む。ハイランズの遠景亦模糊として海を隔てて眼に入る。（中略）又此を過（よぎ）るの路は沼地沮洳（そじょ）川流[オ]潺湲として耳に喧し。蘇格蘭（スコットランド）負販者の一人すら当年不好の天気に際して尚[5]バッショウに難ずる所、況んや兵隊のよく越ゆべき所ならんや。デービット・レスリーは実に[カ]躬ら此のランメルムアーの遠く連亙せる高丘の絶端即ち其の山[キ]嘴に達せり。実にレスリーは日曜日の夜以来此の人跡絶えたる荒蕪の丘を背にしてドーン・ヒルの嶺巓嶺腹に陣し、以てオリバーがダンバーの半島に備えたる本営線を[ク]睨視したり。実に是[6]タンタンたる虎視の[ケ]負嵎の勢にも擬すべきなり。

（菊池大麓「修辞及華文」より）

B　古の英雄は、多く私行を以て人心を[7]シュウランす。或るは朴実真摯の私行を以て信服せしめ、或るは[8]タクラク不羈の私行を以て敬服せしめ、或るは寛仁大度の私行を以て敬服せしめ、或るは謹直厳正の私行を以て推服せしむ。（中略）例えば伊藤侯の如き、[9]ケイモンの醜聞屢々世に伝わると雖も、侯が政治上に於ける公徳は、敢えて[コ]紊乱したりというの談なき是なり。然れども蘇峰は甚だ伊藤侯の私行を喜ばずして、常に之を以て侯を嘲罵するの材料と為す。是他なし。彼は私行と公徳とは相伴う所以を主張すればなり。主義を枉（ま）げ政見を変じて権門の[10]ソウガと為るものは、政治家として公徳を破るの最も大なるものなり。

（鳥谷部春汀「徳富猪一郎氏」より）

本試験型

1級 第6回★テスト

〈60分〉

合計点

200点満点の　　点

- 160点以上 合格
- 130点以上 もう一度学習を
- 100点以上 猛勉強が必要
- 99点以下 受検級を考え直しましょう

(一)

1×30　　/30

次の傍線部分の読みをひらがなで記せ。1～20は音読み、21～30は訓読みである。

1 双鳩有りて必ず簷宇に飛翔す。（　　）
2 家の周囲に垣籬をめぐらす。（　　）
3 今昔を俛仰し時事の変化を見る。（　　）
4 川は繚繞して遂に海に至る。（　　）
5 朝堂の前に百官が鵞列する。（　　）
6 天地震動し日月蔽虧す。（　　）
7 黼黻文章必ず法故を以てす。（　　）
8 呉封豕と為りて上国を荐食す。（　　）
9 少女は可愛い靨笑を浮かべた。（　　）
10 震百里を驚かすとも匕鬯を喪わず。（　　）
11 宮室の壁や柱は黝堊とする。（　　）
12 老蚌、明珠を出だす。（　　）
13 意驕矜として自ら功とするの色有り。（　　）
14 苞苴を以て家を汚さず。（　　）
15 州に孟瀆有り、久しく淤閼す。（　　）
16 勦説する毋れ、雷同する毋れ。（　　）
17 他国を併呑して慊焉たり。（　　）
18 ものの軒輊を論ずる。（　　）
19 是の山特立して培塿と類を為さず。（　　）
20 馬絛が緩んでいたようだ。（　　）
21 箙に歌一首遺されていた。（　　）
22 朝廷の命で徭に従事する。（　　）

23 茲ばかりに日は照らぬ。（　　）
24 藜の杖をついて子貢に会う。（　　）
25 火熨斗で着物の皺を伸ばす。（　　）
26 思い詰めたること少し霽るかさん。（　　）
27 政敵を誣いて排陥する。（　　）
28 亡ぶること足を翹てて待つべし。（　　）
29 春秋伝に曰く、日旰れ君労すと。（　　）
30 寇に兵を藉し、盗人に糧を齎す。（　　）

2×20　／40

(二) 次の傍線部分の**カタカナ**を**漢字**で記せ。19、20は**国字**で答えること。

1 罵倒され**フッゼン**として色を作した。（　　）
2 未成年である点を**シンシャク**する。（　　）
3 作品に人柄が**ニジ**み出る。（　　）
4 夜空に星が**チリバ**められている。（　　）
5 王の名を**センショウ**して挙兵する。（　　）
6 携帯用**コンロ**に点火した。（　　）
7 組織の**タガ**が緩み始めたようだ。（　　）
8 涙が**ボウダ**として流れる。（　　）
9 男の**コケン**に関わる。（　　）
10 **ケイケイ**とした眼光が人を射る。（　　）
11 恐ろしさの余り立ち**スク**む。（　　）
12 **カンバ**を乗りこなす。（　　）
13 真相を**ボカ**して話す。（　　）
14 妹はいつまでも**シャク**りあげていた。（　　）
15 **カンモク**して汗を流す。（　　）
16 中傷に**カンモク**して耐える。（　　）
17 元の**サヤ**に納まる。（　　）
18 豆の**サヤ**をむく。（　　）
19 **カミシモ**は武士の礼装であった。（　　）
20 **マス**席で相撲をみる。（　　）

2×5 ／10

(三)

次の1～5の意味を的確に表す語を、左の□から選び、**漢字**で記せ。

1 無実の罪。（　　）
2 あざわらうこと。（　　）
3 みやこを定めること。（　　）
4 平和や繁栄を喜びうたうこと。（　　）
5 平等にうるおうこと。（　　）

えんおう・おうか・かんと・きんてん
しょうとく・しんしょう・たいしょう・てんと

2×15 ／30

(四)

次の**問1**と**問2**の四字熟語について答えよ。

問1 次の四字熟語の（1～10）に入る適切な語を下の□から選び**漢字二字**で記せ。

1（　　）藍縷 — 6 委肉（　　）
2（　　）之功 — 7 千巌（　　）
3（　　）楽道 — 8 一夕（　　）
4（　　）青鞋 — 9 寤寐（　　）
5（　　）臥轍 — 10 落花（　　）

きゅうし・けんあい・けんじゅん・こけい
しふく・ていちょう・はんえん・ばんがく
ひつろ・ふべつ

問2 次の1～5の**解説・意味**にあてはまる四字熟語を後の□から選び、その**傍線部分だけの読み**を**ひらがな**で記せ。

1 心が広々として愉快な気分になること。（　　）
2 お互いの意見がかみ合わないこと。（　　）
3 災いは小さいうちに取り除くべきだ。（　　）
4 全員の力を結集して任務に当たること。（　　）
5 母と子の気持ちが通じ合うこと。（　　）

第6回

被髪左衽・扞格齟齬・心曠神怡・蘭摧玉折

毫毛斧柯・戮力斉心・侈衣美食・噬指棄薪

1×10

□ /10

(五) 次の**熟字訓・当て字の読み**を記せ。

1 玉鈴花（　　）
2 白耳義（　　）
3 醤蝦（　　）
4 天柱（　　）
5 椿象（　　）
6 鹹草（　　）
7 尸童（　　）
8 山茶（　　）
9 金翅雀（　　）
10 三和土（　　）

1×10

□ /10

(六) 次の**熟語の読み**（**音読み**）と、その**語義**にふさわしい**訓読み**を（送りがなに注意して）**ひらがな**で記せ。

〈例〉健勝…勝れる → けんしょう / すぐ

ア 1 鈔本（　　）…2 鈔す（　　）
イ 3 爽約（　　）…4 爽う（　　）
ウ 5 丐命（　　）…6 丐う（　　）
エ 7 碩学（　　）…8 碩きい（　　）
オ 9 諷喩（　　）…10 諷めかす（　　）

2×10

□ /20

(七) 次の1～5の**対義語**、6～10の**類義語**を後の□の中から選び、**漢字**で記せ。□の中の語は一度だけ使うこと。

対義語

1 喬木（　　）
2 怠惰（　　）
3 不換（　　）
4 先導（　　）
5 強健（　　）

類義語

6 疲労（　　）
7 親近（　　）
8 忿怒（　　）
9 兵火（　　）
10 軍船（　　）

かくれい・かんぼく・こんずい・こんぱい
じっこん・しんい・だかん・どうもう
へいせん・るいじゃく

2×10 /20

（八）次の故事・成語・諺の**カタカナ**の部分を**漢字**で記せ。

1 **オトガイ**で人を使う。（　　）
2 騏驥も老いては**ドバ**に及ばず。（　　）
3 **シ**も舌に及ばず。（　　）
4 **カンシン**の股潜り。（　　）
5 年寄りの言う事と牛の**シリガイ**は外れない。（　　）
6 棺を**ヒサ**ぐ者は歳の疫ならんことを欲す。（　　）
7 **ヒョウフウ**朝を終えず、驟雨日を終えず。（　　）
8 **イヘン**三度絶つ。（　　）
9 子は三界の**クビカセ**。（　　）
10 咳唾珠を成し、気を吐いて**コウゲイ**(注)を作す。（　　）

（注）コウゲイ…にじ。

書き2×10
読み1×10 /30

（九）文章中の傍線（1〜10）の**カタカナ**を**漢字**に直し、波線（ア〜コ）の**漢字**の**読み**を**ひらがな**で記せ。

A 翌日も終日雨、その翌纔(ア)かに霽(イ)れた。居士からは期を愆(ウ)らず書面が来た。「今日矢野先生に会うた。貴下の上に就きては既に先生に成竹(注1)があったようだ。一週間ばかりの中(うち)に新聞小説五回分ばかり書き、先生の許に持ち行きて示されよ。翻訳にても差支えなし」三夜の丹精の原稿を小脇に抱えて吾は早速赤坂表町の矢野文雄先生の邸に向かった。当邸は思軒居士の本所小泉町の売薬店の二階とは違って、煉瓦作りの堂々たるものである。（中略）西洋風の応接間で吾は面会した。先生は呑込貌(のみこみがお)に「委細森田から聞きました。書いて来ましたか。サ、お見せなさい」吾は恐る恐る原稿を奉呈した。龍渓先生は吾が原稿を抜(エ)き展べて一枚二枚読み進まれたが、見る見る先生の眉は顰(オ)み始めた。[1]ヤガて小僮を呼びて朱墨と朱筆を取り寄せられ、吾が原稿を卓子の上に載せ、[2]シワブキ一つせられ「[3]サテ、斯う六ツかしくては困る。この『老杉空を衝いて』とある、これは『老杉空に[4]ソビえて』と軟らかに。次に爰(カ)に(注2)『矗矗(しょくしょく)』と仮名を振ってあるが、これは、これは――」矗矗の仮名使いには先生も困られたと見えて、先生「イヤこれでは[5]トテも直し切れない、これは全然書き直して貰う方が優(ま)しだ。田舎新聞もこれではトテも承知しない。一回五十銭、評判が善くば六十銭も出します。九州地の大新聞だと八九十銭までも買います。勉強すれば幾何(いくら)でも銭は取れます。一つ精出して御覧なさい。兎も角此の原稿はお返し申す。」

（原抱一庵「吾の昔」より）

（注1）成竹……心中の計画。　（注2）矗矗……チクチク。高くそびえ立つさま。

B　余嘗て維新革命前の故老を訪い、以て彼が風丰(ふうぼう)を聴くを得たり。云う、彼短軀瘦骨(くこつ)、枯皮[6]セキニク、衣に勝(キ)えざるが如く、嘗て宮部鼎蔵と相伴い東北行を為すや、屢々茶店の老婆の為に、誤って[7]コカク視せらる。宮部戯れて曰く、君何ぞ夫れ商骨に饒(と)む一に此に到ると。彼艴然(ふつぜん)刀柄を撫して曰く、何ぞ我を侮辱するやと。彼白痘満顔、広額尖頤(ク)、双眉上に釣り、両頬下に殺(ケ)ぐ。鼻梁隆起、口角緊束、細目深瞳、唯眼睛[8]ケイケイ、火把の如きを見るのみ。彼人に対して真率、漫(コ)りに[9]ヘンプクを飾らず。然れども広人[10]チュウザの裡、自ら一種の正気、人を圧する者ありしと云う。

（徳富蘇峰「吉田松陰」より）

1	ア
2	イ
3	ウ
4	エ
5	オ
6	カ
7	キ
8	ク
9	ケ
10	コ

本試験型

1級 第7回★テスト

〈60分〉

合計点

200点満点の　　点

- 160点以上 合格
- 130点以上 もう一度学習を
- 100点以上 猛勉強が必要
- 99点以下 受検級を考え直しましょう

1×30　　/30

(一)

次の傍線部分の読みをひらがなで記せ。1〜20は音読み、21〜30は訓読みである。

1 秋光晩天に麗しく鷁舸中川に泛ぶ。（　　）
2 ここは反政府勢力が蟠踞している。（　　）
3 幽明を黜陟す。（　　）
4 西域の賈人、沙漠を越えて荐臻す。（　　）
5 亀を助けて貝闕に招かれた。（　　）
6 鹵獲品を運び去る。（　　）
7 空き邸の庭を蓊翳たる草木が覆う。（　　）
8 杲杲を出日の容となす。（　　）
9 鍼黹に巧みな侍女を選び出す。（　　）
10 始めて俑を作る者は後なからん。（　　）
11 廣武の井水、鹹苦なり。（　　）
12 譫妄状態をもたらす原因を探る。（　　）
13 朝食に茗粥を供された。（　　）
14 弋繳で鳥を射る。（　　）
15 欸乃一声、山水緑なり。（　　）
16 雨に洗われた甃砌が美しい。（　　）
17 鸞鳳伏し竄れ鴟梟翺翔（こうしょう）す。（　　）
18 周氏の絶業を継ぐは天子の亟務なり。（　　）
19 凱風南よりして彼の棘心を吹く。（　　）
20 常に喟爾として長懐す。（　　）
21 膳を加えれば則ち賜に飫く。（　　）
22 いつも孱い者を庇っていた。（　　）

23 歌を奏し觴を侑む。（　）
24 話を聞いて一同頤を解いた。（　）
25 俗世の煩累を遯れる。（　）
26 年七十以上の者に粟を饋る。（　）
27 龕に仏像を安置する。（　）
28 覃き思いを抱き業を卒えんとす。（　）
29 轅を北にして楚に適く。（　）
30 政争に敝れ官界を去った。（　）

2×20 ／40

(二)

次の傍線部分の**カタカナ**を**漢字**で記せ。
19、20は**国字**で答えること。

1 **ウ**だるような炎天が続く。（　）
2 **ビョウボウ**たる大海原を航海する。（　）
3 **ウワグスリ**を塗って窯に入れる。（　）
4 抽象画について**ウンチク**を傾ける。（　）
5 座敷から縁側に**イザ**り出る。（　）
6 **ケイケン**な祈りを捧げる。（　）
7 紅紫の**アザミ**の花が咲く。（　）
8 突然の厚遇を**イブカ**る。（　）
9 あたら**ツボミ**を散らす。（　）
10 国境に難民が**イシュウ**している。（　）
11 見事な**フクサ**さばきだ。（　）
12 前線まで**リョウマツ**を運ぶ。（　）
13 **カッコ**は雅楽などで使われる。（　）
14 **ヒナ**には稀な美しさだ。（　）
15 缾(へい)の尽くるは**ライ**の恥。（　）
16 **ムベ**山風を嵐と言うらん。（　）
17 **カクジ**して戦功の証しとする。（　）
18 **カクジ**として怒りを発する。（　）
19 まったく**シャク**にさわる。（　）
20 父はかんざしの**カザリ**師だ。（　）

2×5

/10

(三) 次の1～5の意味を的確に表す語を、左の□から選び、**漢字**で記せ。

1 気ままに遊楽にふけること。（　　）
2 なびき従わせること。（　　）
3 つまらないこと。（　　）
4 ひたすらまっすぐに進むこと。（　　）
5 松風の音。（　　）

きょごう・さじ・しょうらい・そうすい
ばくしん・はこう・ふうび・ほうらつ

2×15

/30

(四) 次の**問1**と**問2**の四字熟語について答えよ。

問1 次の四字熟語の（1～10）に入る適切な語を下の□から選び**漢字二字**で記せ。

1（　　）堆裏 ― 6 雲壌（　　）
2（　　）久次 ― 7 一里（　　）
3（　　）牽羊 ― 8 貪夫（　　）
4（　　）空繫 ― 9 孤影（　　）
5（　　）学歩 ― 10 慧可（　　）

かんたん・きろう・げつぜん・げつべつ
じゅんざい・だんぴ・どうつい・とし
にくたん・ほうか

問2 次の1～5の**解説・意味**にあてはまる四字熟語を後の□から選び、その**傍線部分だけの読み**を**ひらがな**で記せ。

1 のびのびした気分の形容。（　　）
2 貧窮に耐えて勉学に励むこと。（　　）
3 国や人が貪欲で残酷なこと。（　　）
4 戦いに明け暮れること。（　　）
5 花街で遊ぶこと。（　　）

折花攀柳・封豕長蛇・残杯冷炙・蹈常襲故
鑿壁偸光・濫竽充数・旌旗巻舒・憑虚御風

(五) 1×10 /10

次の熟字訓・当て字の読みを記せ。

1 越南（　）
2 蒿雀（　）
3 紫茉莉（　）
4 海参（　）
5 仙毛欅（　）
6 善知鳥（　）
7 忍冬（　）
8 沙蚕（　）
9 水蕓（　）
10 後朝（　）

(六) 1×10 /10

次の熟語の読み（音読み）と、その語義にふさわしい訓読みを（送りがなに注意して）ひらがなで記せ。

〈例〉健勝…勝れる → けんしょう／すぐ

ア 1 呻吟（　）…2 呻く（　）
イ 3 衍字（　）…4 衍り（　）
ウ 5 急遽（　）…6 遽しい（　）
エ 7 掉尾（　）…8 掉う（　）
オ 9 清冽（　）…10 冽い（　）

(七) 2×10 /20

次の1～5の対義語、6～10の類義語を後の□の中から選び、漢字で記せ。□の中の語は一度だけ使うこと。

対義語

1 献上（　）
2 悠悠（　）
3 夥多（　）
4 玉砕（　）
5 野暮（　）

類義語

6 繁華（　）
7 道徳（　）
8 茅屋（　）
9 度量（　）
10 全国（　）

あくせく・いなせ・いりん・いんしん
きんど・こうこく・ししゅ・せんぜん
そうろ・らいし

2×10

/20

(八) 次の故事・成語・諺の**カタカナ**の部分を**漢字**で記せ。

1 **チン**を飲みて渇を止む。（　　）

2 **ソクイン**の心は仁の端なり。（　　）

3 **リンキ**せぬ女は弾まぬ鞠。（　　）

4 過ちては改むるに**ハバカ**ること勿れ。（　　）

5 **ソウリン**実ちて礼節を知る。（　　）

6 大行は**サイキン**を顧みず。（　　）

7 **コウガイ**死に赴くは易く、従容義に就くは難し。（　　）

8 我が身を**ツネ**って人の痛みを知れ。（　　）

9 筏が永く**ツツガ**無いのは、水と争わないからである。（　　）

10 **キョウド**の末、魯縞に入る能わず。（　　）

（注）ソクイン…あわれみ。

書き2×10
読み1×10

/30

(九) 文章中の傍線（1～10）の**カタカナ**を**漢字**に直し、波線（ア～コ）の**漢字**の**読み**を**ひらがな**で記せ。

A 斯く斯くせば世人を喜ばしむるならん云々せざれば世間の気に入るならんと窃かに思わざるには非ざれども、苟（ア）にも他に遠慮して心に思わぬ事を云い又思う事を言わざるは余の性質にては何としても出来ず仮令（イ）一生涯の間、世間の人に心事を知られざるも之を知らざるは他人の事にして此方にては聊か（ウ）も**ツウヨウ**（1）を感ずるに非ずとて世俗の**バリザ**（2）**ンボウ**（3）は一切馬耳東風に付し去り、相変わらず言いたき事を言い論じたき事を論じて平気に控えたる中に時勢の進歩とや云わん文明の賜（エ）とや云わん、慶應義塾も次第に繁昌して前後卒業生の数も頗る多く、又余の著書新聞紙も之を**ヒンセ**（4）

ア	1
イ	2
ウ	3
エ	4
オ	5
カ	6
キ	7
ク	8
ケ	9
コ	10

キするものあれば又愛読するものありて、其の[5]ハツダ数も甚だ少なからず。（中略）今回図らずも[6]ユウアクなる恩典を拝受し、然も其の御沙汰書には校舎を開きて才俊を育し新著を頒かちて世益に資する云々とあり、実に意外の光栄にして只[7]キョウクの外なし。

（石河幹明「今回の恩賜に付き福澤先生の所感」より）

B　反対論者或いは云わん、[8]ソウモウ豈幾許[オ]の名士あらん、明治昭代の俊傑は皆明治政府が網羅する所たり、脱網の小鱗細羽以て盛酌の卓上に列すべからずと。此れ実に実際を知らざるの囈語[カ]のみ。今の時に当たり民間焉[キ]んぞ人傑なしと云うを得ん。帷[ク]を垂れ書を講じ以て一門戸を張り、或いは政治論場に馳駆して以て盛旆[ケ]を建つるの大家、[9]レンコクの下殆ど百を以て数う。況んや自他三府三六県の広き、豈其人に乏しとなさんや。斯く我輩が切に天下の俊傑を集むるを主張するの理由は他なし、今や世を挙げて[10]トウトウ国会の期既に迫るを説くと雖も顧みて政府の現象を観るに、意を国会に注ぎ、以て国憲の成立を謀るの紳士能く幾人かある。偶之あるも宛も東方漸く白く残月余魄[コ]を留むるの際、小星二三稀に其の光を放つが如く僅々数人に過ぎざるのみ。決して廟堂皆然りと云う可からず。若し実に我が政府をして国会設立に熱心ならしめば其の組織の易き、吾人が野に熱望するの比にあらず。豈今日に至るも猶其の成立を見ざるの理あらんや。

（沼間守一「普く天下の俊傑を招集して国憲を制定せざる可からず」より）

本試験型 1級 第8回★テスト

〈60分〉

合計点

200点満点の　　点

- 160点以上 合格
- 130点以上 もう一度学習を
- 100点以上 猛勉強が必要
- 99点以下 受検級を考え直しましょう

(一)

1×30　　/30

次の傍線部分の読みを**ひらがな**で記せ。
1～20は**音読み**、21～30は**訓読み**である。

1 箱根は亟遊の地である。（　　）
2 讖緯の書籍を捜し出し皆焚かしむ。（　　）
3 巫嫗が現れて王家の衰亡を告げた。（　　）
4 散華の中、堂内に偈頌が湧き起こった。（　　）
5 扈蹕の者が鳳輦の左右を守る。（　　）
6 岌嶷たる山脈が連亙する。（　　）
7 儁邁な若者を選んで留学させた。（　　）
8 馨香は瀛表にまで伝えられた。（　　）
9 古本屋で希覯本を入手する。（　　）
10 葬儀には左衽で列す。（　　）
11 戦場で殞殪する者は万を超える。（　　）
12 昼は傭賃し、夜は甎甓を焼く。（　　）
13 蛇蠍の如く忌み嫌う。（　　）
14 終日酣觴して以て職を廃す。（　　）
15 竇窖を穿ち囷倉(きんそう)を脩むべし。（　　）
16 一篇の蠹簡を灯火の下に披く。（　　）
17 代々の塋壟を掃き清める。（　　）
18 父母歳ごとに裘葛の遺あり。（　　）
19 岫雲が湧き起こる。（　　）
20 伏兵は木の罌缶を以て軍を度す。（　　）

---

21 衄けない気力を養う。（　　）
22 苺に砂糖を塗す。（　　）

23 情勢を殫く見、洽く聞く。（　　）
24 馬革を以て尸を裹む。（　　）
25 礁を打つ音が風の中に聞こえる。（　　）
26 哀惜の念に満ちた誄が涙を誘う。（　　）
27 小閣衾を重ねて寒を怕れず。（　　）
28 玉を衒いて石を売る。（　　）
29 思いきや榻の端書かきつめて〜。（　　）
30 臣本布衣、躬ら南陽に耕す。（　　）

2×20

□ /40

(二)

次の傍線部分の**カタカナ**を**漢字**で記せ。
19、20は**国字**で答えること。

1 不正検査横行を**テッケツ**する。（　　）
2 **キンシツ**相和す夫婦となる。（　　）
3 専門家としての**キョウジ**が許さない。（　　）
4 金銅の**ルシャナブツ**をお堂に安置する。（　　）
5 **メノウ**に彫刻を施す。（　　）
6 混入した**キョウザツ**物を取り除く。（　　）
7 多くの寺院が**イラカ**を並べる。（　　）
8 **オウダン**症状が現れる。（　　）
9 上には**ヘツラ**い下には横柄な人だ。（　　）
10 広場に群衆が**ヒシメ**く。（　　）
11 **テコ**でも動かない。（　　）
12 **ケンアイ**な山道を歩く。（　　）
13 下問に対し**インギン**に答えた。（　　）
14 越前の国の**ジョウ**に任ぜられた。（　　）
15 **エリ**を仕掛けて魚を捕る。（　　）
16 病**コウコウ**に入る。（　　）
17 月が**コウコウ**と夜空に輝く。（　　）
18 日が**コウコウ**と東天に上る。（　　）
19 **ムロアジ**の干物を焼く。（　　）
20 晴着の**ユキ**たけをはかる。（　　）

2×5　/10

(三)

次の1～5の意味を的確に表す語を、左の［　］から選び、**漢字**で記せ。

1 物を持ったり担いだりする力。（　　）
2 だまし取ること。（　　）
3 茶庭にある石の手水鉢。（　　）
4 大きないびき。（　　）
5 儀仗を備えた行幸の行列。（　　）

かんらい・ごうだつ・せんもう・つくばい
とれつ・へんしゅ・りょりょく・ろぼ

2×15　/30

(四)

次の**問1**と**問2**の四字熟語について答えよ。

問1 次の四字熟語の（1～10）に入る適切な語を下の［　］から選び**漢字二字**で記せ。

1（　　）濫刑	6 鳳凰（　　）
2（　　）加璧	7 栄諧（　　）
3（　　）八景	8 一望（　　）
4（　　）流爛	9 玉石（　　）
5（　　）自得	10 敲金（　　）

いぜん・うひ・えんまん・かつぎょく
こうれい・しょうしょう・せんしょう
そくはく・どうき・むぎん

問2 次の1～5の**解説・意味**にあてはまる四字熟語を後の［　］から選び、その**傍線部分だけの読み**を**ひらがな**で記せ。

1 面白味のない文章のこと。（　　）
2 官吏の手本となった礼法の故事。（　　）
3 自分の身につかないことのたとえ。（　　）
4 低い役職を表す言葉。（　　）
5 大への従属より小集団の長を選ぶ。（　　）

黄髪垂髫・鶏尸牛従・儻来之物・鄒魯遺風
太羹玄酒・尾大不掉・縉紳楷範・抱関撃柝

1×10

／10

(五)

次の**熟字訓**・**当て字**の**読み**を記せ。

1 水黽（　　）
2 満江紅（　　）
3 地楡（　　）
4 石蒜（　　）
5 辛夷（　　）
6 映日果（　　）
7 移徙（　　）
8 秧鶏（　　）
9 廈門（　　）
10 胡籙（　　）

1×10

／10

(六)

次の**熟語**の**読み**（**音読み**）と、その**語義**にふさわしい**訓読み**を（送りがなに注意して）**ひらがな**で記せ。

〈例〉健勝…勝れる → けんしょう／すぐ

ア 1 驤首（　　）…2 驤げる（　　）
イ 3 斂葬（　　）…4 斂める（　　）
ウ 5 貽訓（　　）…6 貽す（　　）
エ 7 韞玉（　　）…8 韞む（　　）
オ 9 皁絹（　　）…10 皁い（　　）

2×10

／20

(七)

次の1～5の**対義語**、6～10の**類義語**を後の□の中から選び、**漢字**で記せ。□の中の語は一度だけ使うこと。

対義語

1 錦繡（　　）
2 帰納（　　）
3 賞賛（　　）
4 最後（　　）
5 奇禍（　　）

類義語

6 泥酔（　　）
7 巷間（　　）
8 浄化（　　）
9 遠慮（　　）
10 勝敗（　　）

えいしゅ・えんえき・かくせい・きたん
ぎょうこう・こうこ・ひぼう・へきとう
めいてい・らんる

2×10

（八） ／20

次の故事・成語・諺の**カタカナ**の部分を**漢字**で記せ。

1 冥冥の志なき者は**ショウショウ**の名なし。（　　）
2 **イツボウ**の争い。（　　）
3 浸潤のそしり、**フジュ**の愬え。（　　）
4 危うきこと**ルイラン**の如し。（　　）
5 **カンポウ**の交わり。（　　）
6 千里 糧を**モタラ**さず。（　　）
7 **ベツ**人を食わんとして却って人に食わる。（　　）
8 **ニオ**の浮き巣。（　　）
9 中流に船を失えば、**イッピョウ**も千金。（　　）
10 木に付く虫は木を**カジ**り、萱に付く虫は萱を啄む。（　　）

（注）ニオ…かいつぶり（水鳥）。

書き2×10
読み1×10

（九） ／30

文章中の傍線（1〜10）の**カタカナ**を**漢字**に直し、波線（ア〜コ）の**漢字**の**読み**を**ひらがな**で記せ。

A 抑芸術の物たる、其の由りて来たる所果たして安に在る哉。蓋し吾人情性皆脳中一種の構造に繋がる者にして、其の庶物の観に於けるや、[1]**タシナ**む所有り、タシナまざる所有り、悦ぶ所有り、悦ばざる所有り。而して庶物の形状声音是の如く其れ蕃庶なりと雖も、之を要するに二種に出でず。即ち形態は人目を[ア]怡ばしむる者にして、其の類万殊なるも、[イ]竟に線条の相錯じわれると、色采の相雑じわれるとに外ならず。

（中江兆民「維氏美学緒論」より）

B 蓋し近代に至りては、凡そ芸術何の類を問うこと無く、皆生気の活動せると意趣の発揚せるとを以て正鵠と為さ

ア	1
イ	2
ウ	3
エ	4
オ	5
カ	6
キ	7
ク	8
ケ	9
コ	10

ざる莫し。今画の一道に就いて之を証せんに、今より前四十年以来、山水の景勝を模写すること日々に益々行われ、画家才性有る者往々志を此の一途に専らにする者有り。然る所以の者は他に非ず。蓋し峯嶺岡巒[ウ]の起伏エンエン[2]せる、ハラン[3]濤滝[エ]のキョウユウ[4]洄蹙(かいしゅく)せる、其の他原野渓谷逕路桟道、凡そ山水自然の景は、皆人心を感動するに於いて尤も力有る者なり。

（同前）

C 憲法の運用は国家命脈の繋がる所なり。之を運用するもの、蕩々平々、党なく、偏なきを要す。其の居る所を異にし、其の利害を同じうせざるが為に、牽強附会、枉(ま)げて之に憑藉[オ]するを得べからず。頃ろ[(注)]朝野諸派の論ずる所を見るに、動もすれば地位の異、党派の別に由りて、各自ら為にする所ある者の如く、論難百出、フンウン[5]雑糅[カ]、殆ど帰する所なからんとす。若し此の勢にして止まざれば、皇室の尊栄、人民の幸福、何に由りて保全せん。嗟[キ]誰か能く其の間に於いてキツゼン[6]卓立、我が憲法の擁護者を以て自ら任ずる者ぞ。今の政治世界、動もすれば、功名心、利欲心、畏怖心、サイキ[7]心を以て充塞し、離間、讒誣[ク]、アユ[8]、威嚇、凡そ社会の徳義を頽敗壊乱する所以のもの、尽く具備せざるはなし。而して之を口にするもの、之を筆にするもの、自ら之を行うもの、人をして之を行わしむるもの、肆然[ケ]としてハバカ[9]らず、テンゼン[10]として恥じず、社会の腐爛、士気の銷鑠[コ]、日一日より甚だしからんとす。嗟誰か能く其の間に於いて敢然勇往、此の弊風を匡正するを以て自ら任ずる者ぞ。

（犬養木堂「民報刊行の趣旨」より）

（注）このごろ。ちかごろ。

本試験型 1級 第9回★テスト

〈60分〉

合計点

200点満点の　　点

- 160点以上 合格
- 130点以上 もう一度学習を
- 100点以上 猛勉強が必要
- 99点以下 受検級を考え直しましょう

(一)

1×30　　/30

次の傍線部分の読みをひらがなで記せ。
1～20は**音読み**、21～30は**訓読み**である。

1 器皿を食卓に並べる。（　　）
2 打噫 人の説く有り。（　　）
3 政治犯として牢獄に紲絏せられた。（　　）
4 匯流する川が天然の堀となる。（　　）
5 功名を竹帛に垂れんのみ。（　　）
6 方士の怪迂の語に羈縻せらる。（　　）
7 瑞瑞しい緑の条肄が伸びてきた。（　　）
8 好学の士を嗤笑排斥する。（　　）
9 門闈（もんい）に及び先聖の壼奥を究む。（　　）
10 遂に区域を綏靖すること能わず。（　　）
11 熊羆の動くや攫搏を以てす。（　　）
12 休暇は避暑地の別墅で過ごす。（　　）
13 よく見て事の慝淑を判断する。（　　）
14 噎に因りて食を廃す。（　　）
15 初秋に唧唧たる虫の声を聞く。（　　）
16 母の遺した髻釵を髪に挿す。（　　）
17 杞梓皮革の楚より往くが如し。（　　）
18 粵犬雪に吠ゆ。（　　）
19 俶儻非常の人の名を記す。（　　）
20 草の状、相樛結して弾の如し。（　　）
21 麩を飼料にする。（　　）
22 楊貴妃は玄宗の寵を擅にした。（　　）

第9回

23 涓涓壅がずんば将に江河となる。（　　）
24 曖にも出さない。（　　）
25 尺を訓みて八咫と云う。（　　）
26 行は以て俗を厲ますに足る。（　　）
27 わが背子が白栲衣行き触れば〜。（　　）
28 衆を憑んで兵を挙げる。（　　）
29 刀の鋩が一瞬きらめいた。（　　）
30 天命を楽しみ復奚をか疑わん。（　　）

(二) 次の傍線部分の**カタカナ**を**漢字**で記せ。19、20は**国字**で答えること。

2×20 ／40

1 長年に亘り**コウシツ**の交わりを続けた。（　　）
2 両国間に**アツレキ**が生じる。（　　）
3 客席の人々の**ヒンシュク**を買う。（　　）
4 計画の実行を**チュウチョ**する。（　　）
5 禿筆を**カ**して書き始める。（　　）
6 **ヒザマズ**いて神に祈りを捧げる。（　　）
7 **ハバカ**り乍ら一言言わせてもらう。（　　）
8 人権を**ジュウリン**する。（　　）
9 大切な手紙を**キョウテイ**にしまう。（　　）
10 泣く子を宥め**スカ**す。（　　）
11 **シンチュウ**の把手を磨く。（　　）
12 その史料は古記録の**ハンチュウ**に属さない。（　　）
13 **オバステ**山は伝説の地だ。（　　）
14 昔は**イガグリ**頭の男児が多かった。（　　）
15 漸く**エンケン**を晴らした。（　　）
16 **エンケン**たる高楼を望む。（　　）
17 **ヤヤ**広い家に引っ越した。（　　）
18 **ヤヤ**もすれば怠けがちになる。（　　）
19 我が家は**カカア**天下である。（　　）
20 **ブリキ**のおもちゃを買う。（　　）

2×5 /10

（三） 次の1〜5の意味を的確に表す語を、左の［　］から選び、**漢字**で記せ。

1 めぐりあい。（　）
2 野外で使う炊爨用具。（　）
3 よろめくさま。（　）
4 仏に供える水。（　）
5 陰暦十二月の異称。（　）

あか・かいこう・こうしん・しんせん
そうろう・ていかい・はんごう・ろうげつ

2×15 /30

（四） 次の［問1］と［問2］の四字熟語について答えよ。

問1 次の四字熟語の（1〜10）に入る適切な語を下の［　］から選び**漢字二字**で記せ。

1（　）一呼　6 翼覆（　）
2（　）爛熟　7 兵戈（　）
3（　）触藩　8 玉兎（　）
4（　）之夜　9 紛紅（　）
5（　）見日　10 翫歳（　）

うく・かいじつ・がいりょく・ぎんせん
こんか・しんぴ・そうじょう・ちゅうせき
ていよう・はつうん

問2 次の1〜5の**解説・意味**にあてはまる四字熟語を後の［　］から選び、その**傍線部分だけの読み**を**ひらがな**で記せ。

1 的外れなことをすること。（　）
2 大体はよいのだが小さな欠点がある。（　）
3 常軌に従わない英雄のこと。（　）
4 身近にあるのに他に求める愚かさをいう。（　）
5 土地が荒れて地味がやせていること。（　）

于公高門・泛駕之馬・荒瘠斥鹵・膝癢掻背
湛盧之剣・騎驢覓驢・参天弐地・大醇小疵

(五)

1×10　／10

次の**熟字訓・当て字**の**読み**を記せ。

1 和林（　）
2 天牛（　）
3 梔子（　）
4 列卒（　）
5 苜蓿（　）
6 馬尾藻（　）
7 蚕簿（　）
8 長庚（　）
9 竜葵（　）
10 提琴（　）

(六)

1×10　／10

次の**熟語**の**読み**（**音読み**）と、その**語義**にふさわしい**訓読み**を（送りがなに注意して）**ひらがな**で記せ。

〈例〉健勝…勝れる → けんしょう／すぐ

ア 1 偃仆（　）…2 偃れる（　）
イ 3 滔天（　）…4 滔る（　）
ウ 5 燻蒸（　）…6 燻す（　）
エ 7 糅錯（　）…8 糅じる（　）
オ 9 捫蝨（　）…10 捫る（　）

(七)

2×10　／20

次の1～5の**対義語**、6～10の**類義語**を後の□の中から選び、**漢字**で記せ。□の中の語は一度だけ使うこと。

対義語

1 白皙（　）
2 険阻（　）
3 称賛（　）
4 貧窮（　）
5 下山（　）

類義語

6 洗練（　）
7 美服（　）
8 黌宇（　）
9 悔悟（　）
10 優秀（　）

いたん・えいまい・かいしゅん・きら
しゃがん・しょうしゃ・しょうじょ・とうはん
ばり・ふせん

2×10

/20

(八) 次の故事・成語・諺のカタカナの部分を漢字で記せ。

1 ロカイの立たぬ海もなし。（　　）

2 積悪の家には、必ずヨオウあり。（　　）

3 イスカの嘴の食い違い。（　　）

4 釣瓶縄イゲタを断つ。（　　）

5 インカン遠からず。（　　）

6 良馬はベンエイを見て行く。（　　）

7 霊威承けて外国を降す。流沙を渉りてシイ服す。（　　）

8 雨に萎れしカイドウの花。（　　）

9 カショ(注)の国に遊ぶ。（　　）

10 身体髪膚、之を父母に受く、敢えてキショウせざるは、孝の始めなり。（　　）

(注) カショ…理想郷。

書き2×10
読み1×10

/30

(九) 文章中の傍線（1〜10）のカタカナを漢字に直し、波線（ア〜コ）の漢字の読みをひらがなで記せ。

A

或いはいわん、終審の法廷に外国出身の日本判事を用いるも亦何ぞ我が法権に害あらん、況んや之を十七国の領事が随意に其の自国の法権を行うに比するに於いてをやと。嗚呼是余輩の畏懼[ア]する所なり。十七国の領事其の法権を行うも内地雑居を許さず、自由旅行を許さず、不動産所有を許さず。乃ち未だ必ずしも大害ありとせず。若し夫与う[イ]べきは充分に之を与え、而して其の取るべきものに至りては関税の賦課、法官の選任、皆純全の自主権を行う能わず。是豈良好の改正ならんや。是豈忍ぶべきの条約ならんや。夫カクカク[1]の名は一時にゲンヨウ[2]するも（中略）或いは一朝にし

ア	1
イ	2
ウ	3
エ	4
オ	5
カ	6
キ	7
ク	8
ケ	9
コ	10

て地に墜つるを免れず。而して欧洲諸国の政治家中外交の権詐によりて以て虚声を騁[ウ]せ、旦夕にして失路の人となりたるもの其の例少なからず。奇功を貪り偉名を得んと欲して[3]シャショク生民を誤るを忘るるに至りては売国の責決して辞すべからず。余輩は大隈伯を信ずること厚しと雖も、敵手の強勍[エ]と事局の[4]コンカンとを思うて心自ら安んずる能わず。敢えて狂夫の言を薦めて専ら伯の虚名に拘々せず、能く其の実を挙げんことを祈る。

（朝比奈知泉「其の実を挙げよ」より）

B 支那人の批評は讃美を主とし、西洋人の批評は刺衝を専らとす。されば支那人の著述は具眼者の評語を得て九鼎大呂より重しと為すも、西洋人の著述は批評者の刺衝に勝[オ]えずして空しく蠹[カ]魚の餌食と為るもの尠[キ]なからず。（中略）批評の要は[5]セッサに在り、批評の要は琢磨に在り。西洋の批評家屢其の先鋭なる毛穎[ク]を弄して少壮の著述家をして綿々絶ゆるの期なき怨恨を懐かしむるが如き、甚だ酷なるに似たりと雖も能く批評家の職分を尽くしたるものと謂いつ可し。惟[ケ]んみるに西洋の文学[6]シンシンとして日々に進み、能く世の中の進歩に伴うて敢えて後れざる所以のものは、批評家其の職分を尽くして怠らず、揚ぐ可きを揚げ抑ゆ可きを抑え、[7]ゴウも仮借する所なきが為なり。東洋の文学[8]シュンジュン退歩の色を現し、[9]イビとして振るわざる所以のものは、批評家其の職分を怠り、徒に[10]テンユの文字を臚[コ]列して其の責を塞ぐが為なり。嗚呼批評家の責任重にして大ならずや。

（高田半峯「当世書生気質の批評」より）

本試験型

1級 第10回★テスト

〈60分〉

合計点

200点満点の　点

●160点以上 合格
●130点以上 もう一度学習を
●100点以上 猛勉強が必要
●99点以下 受検級を考え直しましょう

1×30

/30

(一)

次の傍線部分の読みをひらがなで記せ。
1～20は**音読み**、21～30は**訓読み**である。

1 眼前の嶄嵒が行く手を阻む。（　　）
2 甍宇が軒を接して連なる。（　　）
3 焼き上がった坏坩を窯から出す。（　　）
4 功臣卒し、深く軫悼せらる。（　　）
5 一族に鹵莽の地があてがわれた。（　　）
6 寥落の僻村を後にする。（　　）
7 黎民孑遺有ることなし。（　　）
8 用うる所は醴・棗脯の属を加う。（　　）
9 小国固より必ず尸盟する者あり。（　　）
10 京師を過りて五噫の歌を作る。（　　）
11 積怨は癰疽のように禍をなす。（　　）
12 嬋娟たる両鬢は秋蟬の翼。（　　）
13 囀喉一たび発し楽人皆驚く。（　　）
14 思わぬ咎譴を受ける。（　　）
15 輒然として四肢あることを忘る。（　　）
16 衆皆競進して貪婪なり。（　　）
17 言に夸矜無し。（　　）
18 人の念、自ら隘窘の中に在るが如し。（　　）
19 晨光の熹微なるを恨む。（　　）
20 我に諂諛する者は吾が賊なり。（　　）
21 色糸で縁を縢る。（　　）
22 元いに亨る、貞しきに利ろし。（　　）

23 鷹が雛を孚む様子を見守る。
24 和綴じの本を帙で包む。
25 茶屋に入り浸り敖び暮らす。
26 嫂とは本当の姉妹のようだ。
27 厠の神に手を合わす。
28 君に因りわが名は已に立田山。
29 野原で尉鶲の鳴く声がする。
30 踟うことなく一刀の下に切り伏せた。

2×20

/40

(二)

次の傍線部分の**カタカナ**を**漢字**で記せ。19、20は**国字**で答えること。

1 一族の霊廟で**サイシ**を行う。
2 朝からの雨が**ミゾレ**に変わった。
3 この地は**カキ**園芸が盛んだ。
4 老人は**シワガ**れ声で戦争体験を語った。
5 固い壜の蓋を**コ**じ開けた。
6 犠牲者を思えば胸が**ウズ**く。
7 子どものしたことなら**トガ**め立てしない。
8 桜並木で**ヒンプン**たる落花に包まれた。
9 バスの便もない**ヘンピ**な所に住んでいる。
10 これ以上は**ビタ**一文出せない。
11 この夏は**ジョクショ**が甚だしい。
12 指を**クワ**えて見ている。
13 **ケマン**の透かし彫りが美しい。
14 長身**ハクセキ**の青年と婚約した。
15 **カンカ**不遇の身を喞つ。
16 **ツト**に入った納豆を買う。
17 我が行いを顧みて**キタン**の念を抱く。
18 **キタン**のないご意見を賜りたい。
19 山奥の**ハザマ**の村が故郷だ。
20 一**ガロン**ずつ水を容器に詰める。

2×5 　／10

（三）

次の1～5の意味を的確に表す語を、左の□から選び、**漢字**で記せ。

1 恐れられ、嫌われるもののたとえ。（　　）
2 非常に悲しみ、声をあげて泣くこと。（　　）
3 広がりはびこること。（　　）
4 手にさげて持つこと。（　　）
5 自由を束縛された境遇のたとえ。（　　）

さんたん・しょうちん・だかつ・ていけつ どうこく・とうてん・はんろう・びまん

2×15 　／30

（四）

次の**問1**と**問2**の四字熟語について答えよ。

問1 次の四字熟語の（1～10）に入る適切な語を下の□から選び**漢字二字**で記せ。

1（　　）還珠 ― 6 蘭薫（　　）
2（　　）不倦 ― 7 浮雲（　　）
3（　　）企足 ― 8 縞衣（　　）
4（　　）破車 ― 9 揺頭（　　）
5（　　）分明 ― 10 子墨（　　）

えいじつ・おんしゅう・かいじん・かいとく ききん・ぎょうしゅ・けいふく・とくこう とごう・はいび

問2 次の1～5の**解説・意味**にあてはまる四字熟語を後の□から選び、その**傍線部分だけの読み**を**ひらがな**で記せ。

1 書画の断片のこと。（　　）
2 脆く壊れやすいことのたとえ。（　　）
3 聖人の教え。（　　）
4 相手を大切に思う気持ちのこと。（　　）
5 気持ちが塞がり不満なさま。（　　）

焦熬投石・滴水嫡凍・万寿無疆・典謨訓詁
鬱鬱怏怏・瞋目張胆・零絹尺楮・三釁三浴

1×10 /10

(五)

次の**熟字訓・当て字**の**読み**を記せ。

1 木賊（　　）
2 番紅花（　　）
3 鉤樟（　　）
4 杜宇（　　）
5 金雀児（　　）
6 花鶏（　　）
7 鱲子（　　）
8 貲布（　　）
9 蟒蛇（　　）
10 威内斯（　　）

1×10 /10

(六)

次の**熟語**の**読み**（**音読み**）と、その**語義**にふさわしい**訓読み**を（送りがなに注意して）**ひらがな**で記せ。

〈例〉健勝…勝れる → けんしょう／すぐ

ア 1 傅育（　　）…2 傅く（　　）
イ 3 怡悦（　　）…4 怡ぶ（　　）
ウ 5 訛音（　　）…6 訛る（　　）
エ 7 噤口（　　）…8 噤む（　　）
オ 9 邀撃（　　）…10 邀える（　　）

2×10 /20

(七)

次の1～5の**対義語**、6～10の**類義語**を後の□の中から選び、**漢字**で記せ。□の中の語は一度だけ使うこと。

対義語

1 粘液（　　）
2 払暁（　　）
3 閑暇（　　）
4 不発（　　）
5 強壮（　　）

類義語

6 他界（　　）
7 伯仲（　　）
8 掌握（　　）
9 天性（　　）
10 泥棒（　　）

かんしょく・きっこう・こうきょ・さくれつ
しゅうらん・しょうえき・せんじゃく・そうぼう
ちゅうとう・ひんしつ

2×10

/20

(八)

次の故事・成語・諺の**カタカナ**の部分を**漢字**で記せ。

1 飴を**ネブ**らせて口をむしる。（　　）

2 **ヒソ**みに倣う。（　　）

3 **コウケツ**を絞る。（　　）

4 労働は苦痛に対する**タコ**をつくる。（　　）

5 **テイヨウ** 藩に触る。（　　）

6 **リョウコ**は深く蔵めて虚しきが如し。（　　）

7 **キョウラン**を既倒に廻らす。（　　）

8 **リンゲン**（注）汗の如し。（　　）

9 **タク**は声を以て自ら毀る。（　　）

10 蜉蝣を天地に寄す**ビョウ**たる滄海の一粟なるをや。（　　）

（注）リンゲン…天子のことば。

書き2×10
読み1×10

/30

(九)

文章中の傍線（1～10）の**カタカナ**を**漢字**に直し、波線（ア～コ）の**漢字**の**読み**を**ひらがな**で記せ。

A　暘谷（ようこく）先生閣下。余は最も閣下の胸襟洒落許多（ア）閑日月あるを喜ぶ。其の書の懐素張旭を凌駕して二王の迹（イ）を追うものは、維新前後兵馬**コウソウ**（1）の中に学び得たるを知る。其の詩文を善くし最も史学に富めるは、藩政改革政務紛錯の間に学び得たるを知る。坦懐雅量**スンゴウ**（2）逼塞の気なきものにあらずんば安（ウ）んぞ此くの如きを得ん。福澤先生天資快闊光風**セイゲツ**（3）の如し。而して当代諸豪傑の中に於いて最も久しく交を閣下に結べり。是れ以て閣下が俗塵外に超然たるを見るに足り、又以て閣下が学者君子人を尊崇するを見るに足る。

ア	1
イ	2
ウ	3
エ	4
オ	5
カ	6
キ	7
ク	8
ケ	9
コ	10

閤下の操尚趣向、譬えば長風広漠を過ぎ巨流平川を下るが如し。高低カイコウ屈曲紆余の妙に乏しと雖も、ビョウボウ汪洋の観喜ぶ可き者なきにあらず。（中略）蓋し閤下は亜細亜的豪傑を以て自ら居る者、本より此くの如きを怪しまず。余は唯惜しむ、其の門下一好漢の真に能くイアクの謀を献ずる者なきを。若し夫れ之を得ば其のビョウボウ汪洋たるもの、更に屈折縈回（えいかい）の妙を加えん。曩に大同団の起こるや、大石正巳氏の箸を借りて措画せる者頗る多かりしならん。今や既に扁舟を五湖に浮かべたり。抑此の好謀士は功成り名遂げて去りしか、将長頸ウカイの歎を発して去りしか。閤下と雖も亦知る能わざるべし。

（犬養木堂「後藤伯爵」より）

B

持軒の学は、正大を尚びて支離コウコツの説を為さず、人の入り易く行い易からんことを欲しき。故に其の人に示すや簡にして、聞く者疎と為すも、退きて之を念えば、各肯綮に中たれるより、終には必ず之を信じけり。初め朱子を宗として、其の尊信を極めしも、晩年には稍従違あり。其の説に、宋儒の説、精は則ち精なり、然れども性を理気に岐つは孟子の旨に非ず、性を説くは程子を以て詳悉と為し、孟子は未だ少しく疎なる処ありと謂うに至りては、予の信ぜざる所、孟子七篇を熟読せば、聖人の道知り難からずと為せり。然れども持軒の経子を講ずるは、率ね新註に従い、シンシャせる門人に向かって、略其の説を示すのみ。蓋し持軒は温厚の長者、異を立つるを好まず、弁駁を務めず。属纊前一日、筆を援（と）って門人に遺言し、朱子学を偏執する者と争弁する勿れ、唯バリを肆にして已に益なしと言えり。

（西村天囚「懐徳堂研究」より）

本試験型 1級 第11回★テスト 〈60分〉

合計点

200点満点の　　点

- 160点以上 合格
- 130点以上 もう一度学習を
- 100点以上 猛勉強が必要
- 99点以下 受検級を考え直しましょう

1×30　　/30

(一) 次の傍線部分の読みをひらがなで記せ。1～20は音読み、21～30は訓読みである。

1 頑夫も廉に、懦夫も志を立つる有り。（　）
2 敵軍の様子を覘候する。（　）
3 物有れば則ち有し、民の彝を秉る。（　）
4 人をして乾笑の疾を得しむ菌蕈有り。（　）
5 炎症の治療に罨法を用いる。（　）
6 膠竿を執りて黄雀を捕らう。（　）
7 大臣は禄住に偸安し小臣は罪戻に苟免す。（　）
8 玉卮底無ければ宝と雖も用に非ず。（　）
9 書の遒勁なること寒松霜竹の如し。（　）
10 北辺の胡に備えて戍守する。（　）
11 息女有り、願わくは箕帚の妾と為さん。（　）
12 芸閣に秘蔵の書物がある。（　）
13 その様、澹として深泉の如し。（　）
14 懶惰な生活を改める。（　）
15 その功を戡定し用て後人に休を遺す。（　）
16 巾幗婦人の飾りを致し宣王を怒らしむ。（　）
17 吐蕃黠獪、天誅にあたること二十余年。（　）
18 卓犖として衆に擢んでる。（　）
19 林木薈蔚として煙雲掩映す。（　）
20 公子謖爾として袂を斂めて立つ。（　）
21 追跡されて隰に身を隠した。（　）
22 滑らかなる針に縹の糸を添えたり。（　）

23 侍女として王妃に傅く。

24 常に備えて懈らず。

25 宜しく駕を枉げて之を顧みるべし。

26 群賢少長咸く集まる。

27 母が夕餉の仕度をしている。

28 貪夫は財に徇う。

29 民草は皆饑い思いをしている。

30 歳を翫り日を愒る。

2×20 ／40

(二)

次の傍線部分の**カタカナ**を**漢字**で記せ。
19、20は**国字**で答えること。

1 主役が**サッソウ**と登場した。

2 世を**ス**ねて故郷に戻る。

3 口の中で何やら**ツブヤ**いた。

4 **トウカイ**戦術で勝利した。

5 善言は**フハク**よりも煖かし。

6 姿形が故人を**ホウフツ**とさせる。

7 **ヤツガレ**不佞して称うに足らず。

8 海外留学から**ツツガ**無く帰国した。

9 勤務先を不当に**カクシュ**される。

10 昔の面影もない**ラクハク**ぶりだ。

11 高僧を**ゲイカ**とお呼びする。

12 自ら**オトリ**となって敵を欺く。

13 説明の仕方が**クド**い。

14 着物の裾を**ク**ける。

15 海外からコーチを**ショウヘイ**する。

16 **ソウボウ**が涙に濡れている。

17 **ソウボウ**を兵乱から救う。

18 役員就任で**ソウボウ**の毎日だ。

19 **トガ**の尾の明恵上人。

20 家庭の**シツケ**が行き届いている。

2×5 /10

(三) 次の1〜5の意味を的確に表す語を、左の□から選び、**漢字**で記せ。

1 旗などがひるがえるさま。（　）
2 早世すること。（　）
3 わずかなこと。（　）
4 長い間、雨が降らないこと。（　）
5 花が咲き乱れて明るい様子。（　）

かんばつ・こうがい・ごうり・ふくいく
へんぽん・ようせい・らんまん・りゅうせい

2×15 /30

(四) 次の**問1**と**問2**の四字熟語について答えよ。

問1 次の四字熟語の（1〜10）に入る適切な語を下の□から選び**漢字二字**で記せ。

1（　）冒色 ― 6 朝耕（　）
2（　）一闘 ― 7 円顱（　）
3（　）狼貪 ― 8 三世（　）
4（　）晦迹 ― 9 懸崖（　）
5（　）春雨 ― 10 風鬟（　）

いっこう・いっさん・うびん・がいふう
ちんめん・とうこう・ほうし・ぼうん
ようこん・ろくば

問2 次の1〜5の**解説・意味**にあてはまる四字熟語を後の□から選び、その**傍線部分だけの読み**を**ひらがな**で記せ。

1 憤りを覚える相手に共に立ち向かうこと。（　）
2 非常に得意なさま。（　）
3 中国古代の暴君。（　）
4 情の細やかなこと。（　）
5 私情を捨てて忠義を貫くこと。（　）

融通無礙・攘臂疾言・楽羊啜子・夏癸殷辛
敵愾同仇・冒雨剪韭・瑣砕細膩・蠅頭細書

1×10 /10

(五)

次の熟字訓・当て字の読みを記せ。

1 冬眠鼠（　　）
2 紫薇（　　）
3 錫蘭（　　）
4 翻車魚（　　）
5 連銭草（　　）
6 王余魚（　　）
7 酢漿草（　　）
8 通草（　　）
9 懸鉤子（　　）
10 鹿驚（　　）

1×10 /10

(六)

次の熟語の読み（音読み）と、その語義にふさわしい訓読みを（送りがなに注意して）ひらがなで記せ。

〈例〉健勝…勝れる→ けんしょう / すぐ

ア 1 徼名（　　）…2 徼める（　　）
イ 3 頌徳（　　）…4 頌める（　　）
ウ 5 嚮日（　　）…6 嚮く（　　）
エ 7 阨巷（　　）…8 阨い（　　）
オ 9 屠殺（　　）…10 屠る（　　）

2×10 /20

(七)

次の1～5の対義語、6～10の類義語を後の□の中から選び、漢字で記せ。□の中の語は一度だけ使うこと。

対義語

1 誕生（　　）
2 粱肉（　　）
3 仕官（　　）
4 起筆（　　）
5 寒冷（　　）

類義語

6 結婚（　　）
7 幼童（　　）
8 帆柱（　　）
9 普段着（　　）
10 落涙（　　）

かくひつ・けいかん・けんだん
しゅか・しょうかん・しれい・せつい・そぼつ
ちょうじ・りゅうてい

2×10

20

(八)

次の故事・成語・諺の**カタカナ**の部分を**漢字**で記せ。

1 禍は**ショウショウ**(注)の中より起る。（　　）
2 **シュウオ**の心は、義の端なり。（　　）
3 煽てと**モッコ**には乗り易い。（　　）
4 **ショキュウ**の交わり。（　　）
5 白璧の**ビカ**。（　　）
6 穴の**ムジナ**を値段する。（　　）
7 成事は説かず、**スイジ**は諫めず、既往は咎めず。（　　）
8 **コハク**は腐芥を取らず。（　　）
9 **セキトク**書疏は千里の面目。（　　）
10 筆は一本なり、箸は二本なり、**シュウカ**敵すべからず。（　　）

（注）ショウショウ…内輪。

書き2×10
読み1×10

30

(九)

文章中の傍線（1～10）の**カタカナ**を**漢字**に直し、波線（ア～コ）の**漢字**の**読み**を**ひらがな**で記せ。

A　十四人はたった今七八十人の同勢を率いて渡った高麗橋を、殆ど世を隔てたような思いをして、同じ方向に渡った。河岸に沿うて曲がって、天神橋詰を過ぎ、八軒屋に出たのは七つ時であった。ふと見れば、桟橋に**イッソウ**[1]の舟が繋いであった。船頭が一人艫[ア]の方に**ウズクマ**[2]っている。土地のものが火事なんぞの時、荷物を積んで逃げる、屋形のような、余り大きくない舟である。平八郎は一行に目食わせをして、此の舟に飛び乗った。跡から十三人がどやどやと乗り込んだ。「こら、舟を出せ。」こう叫んだのは瀬田である。不意を打たれた船頭は器械的に起って纜[イ]を解いた。舟が中

ア	1
イ	2
ウ	3
エ	4
オ	5
カ	6
キ	7
ク	8
ケ	9
コ	10

流に出てから、庄司は持っていた十文目筒、其の他の人々は[ウ]手鑓を水中に投げた。それから川風の寒いのに、皆着込を脱いで、これも水中に投げた。

「どっちでも好いから[3]コいでおれ。」瀬田はこう云って、船頭に[4]ロを操らせた。火災に遭ったものの荷物を運び出す舟が、大川には[エ]散蒔いたように浮かんでいる。平八郎等の舟がそれに[オ]雑じって上ったり下ったりしていても、誰も[カ]見咎めるものはない。

（森鷗外「大塩平八郎」より）

B 甚だしき哉民約説の国家を[5]トガイせるや、彼は人心の弱点に[キ]阿りて之を誘惑し、巧みに[6]ネツゾウの痕跡を隠蔽して、一世をして靡然として之に向かわしめ、多数乱民の力に[ク]藉りて確立せる秩序を破壊せり。然れども破壊の目的を以て構成せられたる論議の建設に成功する能わざるは自然なり。是より其の後国権綱を弛べて[7]ブンラン相[ケ]踵ぎ、民能く寧処することなし。独り成功の姿を為せるは米国なれども、前には則ち国家分裂の大乱あり。今や国交の頻繁に由りて、国家を以て活動する必要あるに至りて、其の説も亦一変せんとす。特に怪しむ後進の国にして前車の[8]フクテツを鑑むるの自由を有しながら、尚其の[9]ソウハクを嘗めて甘心せんとする者あるを。平民的政治を以て民心を[10]シュウランせんと試むる者は民約説の亜流なり（中略）[コ]夫国家は人性の発展たり。人は国家なくして其の性を遂ぐる能わず。人性は独り国家の存在に由りて之を認むべきのみ。故に人智の蒙昧なるに当たりては、国家の性格も亦明確なるを得ず。

（須崎黙堂「国家観」より）

本試験型

1級 第12回★テスト

〈60分〉

合計点

200点満点の　　点

- 160点以上 合格
- 130点以上 もう一度学習を
- 100点以上 猛勉強が必要
- 99点以下 受検級を考え直しましょう

1×30　　/30

(一)

次の傍線部分の読みをひらがなで記せ。
1～20は音読み、21～30は訓読みである。

1 最後は拿攫の戦いとなった。（　　）
2 同志に密かに檄檄を回す。（　　）
3 あまりの仕打ちに喑嗚する。（　　）
4 藉斂に費を忘れ事業に労を忘る。（　　）
5 昼は旌旗播麾を以て節と為す。（　　）
6 万斛の涙を飲んで降伏した。（　　）
7 楫櫂を操って運河を往き来する。（　　）
8 熊野の古道に曩蹤を辿る。（　　）
9 責任を放擲して一顧だにしない。（　　）
10 その後の消息は杳として知れない。（　　）
11 毎日、小一時間の攤飯をとる。（　　）
12 急に眩暈を覚えて踞った。（　　）
13 仙人の宮闕は埃氛を隔つ。（　　）
14 昊天極まりなし。（　　）
15 流黄夕に織らず、寧ぞ梭杼の音を聞かん。（　　）
16 夜、銜枚して進軍する。（　　）
17 皇帝、天下を匡飭す。（　　）
18 舞う者、刈穫舂簸の形を為す。（　　）
19 共に聴く簷溜の滴り。（　　）
20 郊して膰俎を大夫に致さず。（　　）
21 轅に攀りて轍に臥す。（　　）
22 河を馮り死するとも悔い無し。（　　）

23 君子役に于く、その期を知らず。（　　）
24 錐刀を以て泰山を堕つ。（　　）
25 酒壜を挈げて街中をうろつく。（　　）
26 星は昴、彦星、夕星。（　　）
27 陸奥のしのぶ捩摺誰ゆえに〜。（　　）
28 嬾い昼下がりについ欠伸が出る。（　　）
29 楊子、岐に泣く。（　　）
30 厥の初め、神は光をつくり給うた。（　　）

2×20
/40

（二）

次の傍線部分の**カタカナ**を**漢字**で記せ。
19、20は**国字**で答えること。

1 高台に**ショウシャ**な洋館が建っている。（　　）
2 借金の依頼を**ニベ**もなく断る。（　　）
3 両者の見解に**ソゴ**を来す。（　　）
4 高**イビキ**をかいて寝ている。（　　）
5 きつい**シッペ**返しを食う。（　　）
6 近隣国と**イガ**み合う。（　　）
7 敵の防衛線に**ニジ**り寄る。（　　）
8 桁外れの**リョリョク**で大岩を転がした。（　　）
9 焼け跡の街に**ショウイ**軍人の姿があった。（　　）
10 人類は文明の**レイメイ**期を迎えた。（　　）
11 **テキガイシン**を燃やす。（　　）
12 卒業生のために**ヨセン**会を開いた。（　　）
13 **ワコウ**が沿岸を荒らし回った。（　　）
14 砂糖を二**ポンド**買った。（　　）
15 桃の夭夭たる、その葉**シンシン**たり。（　　）
16 馬の走ること**シンシン**たり。（　　）
17 **ウツボ**は蛸の天敵だ。（　　）
18 **ウツボ**に矢を入れて背負う。（　　）
19 **イリ**を開けて水を入れる。（　　）
20 街の**ダニ**。（　　）

(三)

2×5　／10

次の1～5の意味を的確に表す語を、左の［　］から選び、**漢字**で記せ。

1 驚いて目をみはること。（　）
2 中央から遠く離れた地。（　）
3 小さなつぶ。（　）
4 ものごとの始まり。（　）
5 あやつり人形。（　）

かいらい・かりゅう・ごうり・しょくもく
どうもく・へきすう・べっしょ・らんしょう

(四)

2×15　／30

次の**問1**と**問2**の四字熟語について答えよ。

問1 次の四字熟語の（1～10）に入る適切な語を下の［　］から選び**漢字二字**で記せ。

1（　）皆空　6 廃格（　）
2（　）溷濁　7 筆力（　）
3（　）祖室　8 衆賢（　）
4（　）敏行　9 厭聞（　）
5（　）氷姿　10 悽愴（　）

ぎょうき・こうてい・ごうん・せっぱく
そひ・とつげん・ぶつり・ぼうじょ
よちょう・りゅうてい

問2 次の1～5の**解説・意味**にあてはまる四字熟語を後の［　］から選び、その**傍線部分だけの読み**を**ひらがな**で記せ。

1 主君の旅のお供。また、随行者の謙称。（　）
2 精励して物事の深奥に迫るたとえ。（　）
3 多くの子どもに恵まれ子孫が繁栄すること。（　）
4 高い地位の印。また、本陣の印。（　）
5 大通りのこと。（　）

鞭辟近裏・洒洒落落・羈紲之僕・康衢通逵
螽斯之化・罔極之恩・天顔咫尺・高牙大纛

(五)

1×10 /10

次の熟字訓・当て字の読みを記せ。

1 厳器（　　）
2 鶺鴒（　　）
3 海牙（　　）
4 射干玉（　　）
5 角子（　　）
6 海鷂魚（　　）
7 梅花皮（　　）
8 青茅（　　）
9 神籬（　　）
10 雀鷹（　　）

(六)

1×10 /10

次の熟語の読み（音読み）と、その語義にふさわしい訓読みを（送りがなに注意して）ひらがなで記せ。

〈例〉健勝…勝れる → けんしょう / すぐ

ア 1 晏駕（　　）…2 晏　い（　　）
イ 3 窘窮（　　）…4 窘しむ（　　）
ウ 5 訐揚（　　）…6 訐　く（　　）
エ 7 寓意（　　）…8 寓ける（　　）
オ 9 噪聒（　　）…10 聒しい（　　）

(七)

2×10 /20

次の1～5の対義語、6～10の類義語を後の□の中から選び、漢字で記せ。□の中の語は一度だけ使うこと。

対義語

1 長身（　　）
2 駿馬（　　）
3 衒耀（　　）
4 忠直（　　）
5 周到（　　）

類義語

6 殄殲（　　）
7 青空（　　）
8 豊年（　　）
9 謀計（　　）
10 役所（　　）

うかつ・おうさつ・かんが・じゃてん
じんさい・そうきゅう・ちゅうさく・とうかい
どたい・わいく

2×10

20

(八)

次の故事・成語・諺の**カタカナ**の部分を**漢字**で記せ。

1 目は毫毛を見るもその**マツゲ**を見ず。（　　）

2 比丘尼に**コウガイ**[(注)]。（　　）

3 触らぬ神に**タタ**りなし。（　　）

4 思い面瘡 思われ**ニキビ**。（　　）

5 画竜**テンセイ**を欠く。（　　）

6 その子 乃ち**カショク**の艱難を知らず。（　　）

7 明珠を識らざれば、返って**ガレキ**となす。（　　）

8 降らず照らず油**コボ**さず。（　　）

9 抜き足して来る人に**ロク**な者なし。（　　）

10 心正しければ則ち**ボウシ**瞭らかなり。（　　）

（注）コウガイ…髪飾りの一種。

書き2×10
読み1×10

30

(九)

文章中の傍線（1～10）の**カタカナ**を**漢字**に直し、波線（ア～コ）の**漢字**の**読み**を**ひらがな**で記せ。

A 薄暮、散歩の途次、犀星と共に万平ホテルに至り、一杯のレモナアデに渇を癒す。客多くは亜米利加人。露台に金髪紅衣の美人あり。**トウ**[1]椅子に倚[ア]って郎君と語る。憾むらくは郎君の鼻、鷲の**クチバシ**[2]に似たることを。ホテルを去ってオウディトリアムの前に至れば音楽会の最中なり。堂前樹下、散策の客少なからず。（中略）感興頓に尽き、終日文を草する能わず。或いは書を読み、或いは庭を歩し、犀星の**ビンショウ**[3]する所となる。この庭に植えたる草木**カキ**[4]、大体下に掲ぐるが如し。松、落葉松、五葉松、榧[イ]、檜葉、枝垂れ檜葉、白槙、楓、梅、矢竹、小てまり、山吹、萩、**ツ**[5]

ア	1
イ	2
ウ	3
エ	4
オ	5
カ	6
キ	7
ク	8
ケ	9
コ	10

ツジ、霧島ツツジ、菖蒲、だりあ、[ウ]凌霄葉蓮、紅輪草、山百合、姫向日葵、小町草、[エ]花魁草、[オ]葱、針金草、鬼ぜんまい、雪の下、秋田蕗、山蔦、五葉、—五葉の紋章めきたるは愛すべし。

（芥川龍之介「軽井沢日記」より）

B 私の枕もとには、二通の電報がひろげてある。文面はどちらも大差はない。要するに原稿の催促である。医者は安静に寝ていろと云う。友だちは[カ]壮んだなぞと冷やかしもする。しかし前後の行きがかり上、愈高熱にでもならない限り、兎に角紀行を続けなければならぬ。以下何回かの江南游記は、こう云う事情の下に書かれるのである。芥川竜之介と云いさえすれば、[キ]閑人のように思っている読者は、速やかに謬見を改めるが好い。（中略）画舫はまた我我を乗せると、島の岸に沿いながら、雷峰塔の方へ進んで行った。岸には蘆の茂った中に、河柳が何本も[ク]戦いでいる。その水面へ這った枝に、何か[6]ウゴメいていると思ったら、それは皆大きい泥亀だった。いや、亀ばかりならば驚きはしない。ちょいと上の枝の股には、[7]タイシャ色に脂切った蛇が一匹、半身は柳に巻きついたなり、半身は空中にのたくっている。私は背中が痒いような気がした。勿論そう云う心もちは、愉快なものでも何でもない。その内に島の角を[ケ]繞ると、水を隔てた新緑の岸には、[8]トッコツと雷峰塔の姿が見えた。まず目前に仰いだ感じは、花屋敷の近処に[9]タタズんだ儘、十二階に対したのと選ぶ所はない。唯この塔は赤煉瓦の壁へ、一面に[コ]蘿をからませたばかりか、雑木なぞも頂には靡かせている。それが日の光に煙りながら、幻のように[10]ソビえ立った所は何と云っても雄大である。

（芥川竜之介「江南游記」より）

本試験型

1級 第13回★テスト

〈60分〉

合計点

200点満点の　　点

- 160点以上 合格
- 130点以上 もう一度学習を
- 100点以上 猛勉強が必要
- 99点以下 受検級を考え直しましょう

1×30　　/30

(一)

次の傍線部分の読みを**ひらがな**で記せ。
1～20は**音読み**、21～30は**訓読み**である。

1 二子皆齠齔、以為必ず倶に死すと。（　　）
2 椽大の筆を揮う。（　　）
3 書簡を拆封する。（　　）
4 西の空は不気味な殷紅に染まった。（　　）
5 風雨に梳沐すること数十年。（　　）
6 殄戮して功有りとすること勿れ。（　　）
7 凡そ侑食するときは尽くは食せず。（　　）
8 蒼氓を犠牲とする侵攻が続く。（　　）
9 久しく史事を緝綴する所有り。（　　）
10 夜空に孛彗が尾を引く。（　　）
11 刀を以て斫水するも幾時か断たん。（　　）
12 昇汞水は消毒に用いられた。（　　）
13 頽唐の風が世を覆う。（　　）
14 以て譏慝の口を間執せん。（　　）
15 坤は厚くして物を載せ品物咸亨す。（　　）
16 夢に胡蝶となる、栩栩然として胡蝶なり。（　　）
17 識智の士、鉗口韜筆し禍敗日に深し。（　　）
18 その額を鑿ち涅するに墨を以てす。（　　）
19 世議にそむき懿徳の君に非ざるなり。（　　）
20 詔して兵燹を経る者に銭を賜う。（　　）

21 賊降って命を丐う。（　　）
22 絖を用いて造花をつくる。（　　）

23 城門火を失して殃い池魚に及ぶ。（　　）
24 槊を横たえて詩を賦す。（　　）
25 部長の怒った顔は艨に似ている。（　　）
26 政を埘めるに当たり天地の神を祀る。（　　）
27 早朝遽しく出発した。（　　）
28 渾て簪に勝えざらんと欲す。（　　）
29 自らその場に莅んで訴えを聴く。（　　）
30 日中に出でて仰臥し腹中の書を曬す。（　　）

(二)

2×20

/40

次の傍線部分の**カタカナ**を**漢字**で記せ。
19、20は**国字**で答えること。

1 批判的な活動に**セイチュウ**を加える。（　　）
2 **タンゲイ**すべからざる器量の持ち主だ。（　　）
3 耳を**ツンザ**く爆破音が響いた。（　　）
4 他人の著作を**ヒョウセツ**する。（　　）
5 老父はまだ**ザンゼン**を保っている。（　　）
6 故人は既に**ダビ**に付されていた。（　　）
7 着物の裾を**カラ**げる。（　　）
8 庭木の**センテイ**をして過ごす。（　　）
9 人心の**カイリ**を憂える。（　　）
10 入監者の**セツエン**に二十年を費やす。（　　）
11 **ホウロウ**引きの鍋を買う。（　　）
12 茄子の**ヘタ**には鋭いとげがある。（　　）
13 **ニワタズミ**に青空が映っている。（　　）
14 風で**ホツ**れた髪を直す。（　　）
15 **マナジリ**を決してＴＶ討論会に臨む。（　　）
16 **カササギ**の渡せる橋におく霜の……。（　　）
17 不要の字句を**サンジョ**する。（　　）
18 雑草を**サンジョ**する。（　　）
19 手作りの**ソリ**に乗って遊ぶ。（　　）
20 身代が**ササラ**になる。（　　）

2×5 　／10

(三) 次の1～5の意味を的確に表す語を、左の□から選び、**漢字**で記せ。

1 失意してなげくこと。（　　）

2 にらみ合い。（　　）

3 年をとっても元気な様子。（　　）

4 学問などを深くきわめること。（　　）

5 熱帯地方で起こる伝染性の熱病。（　　）

えんこん・かくしゃく・けんさん・しょうれい
じんすい・たいじ・ちゅうちょう・ろうがい

2×15 　／30

(四) 次の**問1**と**問2**の四字熟語について答えよ。

問1 次の四字熟語の（1～10）に入る適切な語を下の□から選び**漢字二字**で記せ。

1（　　）屹立　　6 斬釘（　　）

2（　　）奔泉　　7 頑廉（　　）

3（　　）蹈火　　8 海内（　　）

4（　　）北暢　　9 剣抜（　　）

5（　　）求遠　　10 雪萼（　　）

かっき・かんべん・ぎぜん・ざいじ
せってつ・そうは・だりつ・どちょう
なんこう・ふとう

問2 次の1～5の**解説・意味**にあてはまる四字熟語を後の□から選び、その**傍線部分だけの読み**を**ひらがな**で記せ。

1 幼子が親をしたうこと。（　　）

2 晩年にようやく官職を得ること。（　　）

3 非常に気力が盛んで強いこと。（　　）

4 はかりごとのこと。（　　）

5 自分の領分のこと。（　　）

貢育之勇・跌蕩放言・篝火狐鳴・孺慕之思
馮異大樹・白髪青衫・臥榻之側・謨猷籌画

(五) 1×10 /10

次の熟字訓・当て字の読みを記せ。

1 蟀谷（　）
2 敗醬（　）
3 角鴟（　）
4 莎草（　）
5 四照花（　）
6 澳門（　）
7 海鞘（　）
8 稲架（　）
9 海州常山（　）
10 山小菜（　）

(六) 1×10 /10

次の熟語の読み（音読み）と、その語義にふさわしい訓読みを（送りがなに注意して）ひらがなで記せ。

〈例〉健勝…勝れる → けんしょう / すぐ

ア 1 贍富（　）…2 贍りる（　）
イ 3 渋焉（　）…4 渋か（　）
ウ 5 駢肩（　）…6 駢べる（　）
エ 7 慍容（　）…8 慍る（　）
オ 9 吟嘯（　）…10 嘯く（　）

(七) 2×10 /20

次の1～5の対義語、6～10の類義語を後の□の中から選び、漢字で記せ。□の中の語は一度だけ使うこと。

対義語

1 陞任（　）
2 緻密（　）
3 丫鬟（　）
4 苗裔（　）
5 善政（　）

類義語

6 徘徊（　）
7 松明（　）
8 欠点（　）
9 雲泥（　）
10 才媛（　）

きょか・けいしゅう・こうちゅう・しか
しょうじょう・そほん・のうそ・ひせい
ほうこう・ろうおう

2×10

20

(八) 次の故事・成語・諺の**カタカナ**の部分を**漢字**で記せ。

1 **コウケイ**に中る。（　　）

2 葬車の後ろに**ヤクタイ**を懸く。（　　）

3 滄浪の水清まば、以て吾が**エイ**を濯うべし。（　　）

4 議論は真理の**フルイ**である。（　　）

5 泥棒を見て縄を**ナ**う。（　　）

6 出る船の**トモヅナ**を引く。（　　）

7 魚を得て**セン**(注)を忘る。（　　）

8 **キンル**の衣は再び得べし、青春は再び得べからず。（　　）

9 男女の淫楽は互いに**シュウガイ**を抱く。（　　）

10 **コウリョウ**一炊の夢。（　　）

（注）セン…魚をとる竹かご。

書き2×10
読み1×10

30

(九) 文章中の傍線（1〜10）の**カタカナ**を**漢字**に直し、波線（ア〜コ）の**漢字**の**読み**を**ひらがな**で記せ。

A 一村は此くの如く**セキリョウ**[1]にして絃誦の声少なし。隣村と云えば七八丁乃至十丁もあり、道路崎嶇[ア]夜は歩行に艱[イ]なり。村女は綿を以て糸を製し自ら織るの模様なり。或る家の如きは矗[ウ]末なる木綿機を有し白糸の大なるものを繰り居りし。気候は花園口付近最も寒きに似たり。金州に至れば**ヤヤ**[2]暖。旅順は金州より寒きに似たり。然れども未だ十分の調査を経ず。金州は物資に富む。半島以外の商人来りて業を営めばなり。皮子窩之に亜[エ]ぐ。

（鳥居素川「満州風俗」より）

ア	1
イ	2
ウ	3
エ	4
オ	5
カ	6
キ	7
ク	8
ケ	9
コ	10

B　山は皆ハゲヤマ[3]にして多角形の石顚積す。踏めば即ち崩るるなり。処々僅かに枯草の残れるを見る。サンテン[4]蛆虫のウゴメ[5]くが如きを見怪しみて諦視すれば綿羊の放飼なりし。其の類幾百なるを知らず。山の或るものはタンワイ[6]の小松疎生するを見る。即ち疎なりと雖も翠緑を見ば心自ずからソセイ[7]す。（中略）吹く風の如きも隆々として凄まじ。彼のサクフウ[8]のサクの字は軽々に看過すべからず。又塞外黄雲漠々等の文字始めて此の地を踏み其の間の消息を解するを得。碧流河岸のサセキ[9]の如き一望平砂山も野も灰色なり。風捲けば忽ち黄雲となり、馬は首を伏し人は眼を閉ず。歩行甚だ艱と雖も休息の処なし。此くの如きの地若し数里に亙[オ]らば人は或いは窒息せん。サハラ、戈壁[カ]の砂漠は此の地の大なるものと覚えたり。

（同　前）

C　徳川家康の禍乱をカンテイ[10]せらるるや深く王室の将来に懼[キ]るべきものあることを知れり。されば表面には之を尊重したりしが如しと雖も内実は全く之を抑えしなり。固より戦国潰爛[ク]の折に比すれば王室は一唾の労も自らせられずして衆庶の尊崇を受け数多の俸領をも得給いし事なれば幸福の度は天壌啻[ケ]ならずと雖も、人智漸く古来の歴史を是非するに及び徳川氏が万般の政務を親[コ]らし王室は全く虚位を擁するが如き姿あるを見て王室を旧時に復せんとする志の発するは人情の常なり。

（田口鼎軒「日本開化小史」より）

本試験型

1級 第14回★テスト

〈60分〉

合計点

200点満点の　　点

- 160点以上 合格
- 130点以上 もう一度学習を
- 100点以上 猛勉強が必要
- 99点以下 受検級を考え直しましょう

1×30 　/30

(一) 次の傍線部分の読みをひらがなで記せ。1～20は音読み、21～30は訓読みである。

1 遠く望み流水の潺湲たるを観る。（　）
2 煢煢として余疢え(うれ)に在り。（　）
3 爨炊は火加減が難しい。（　）
4 母は孱羸の末子を可愛がった。（　）
5 旧制度の残滓が散見される。（　）
6 雷鳴と共に雹霰が降ってきた。（　）
7 妲己との淫楽は殷滅亡の一因だ。（　）
8 山居の民に癭瘤の疾多し。（　）
9 藺石を寄せ手の頭上に落とす。（　）
10 之を顧み潸然として涕を流す。（　）
11 雁池有り、池中に鶴州梟渚有り。（　）
12 荒涼たる垠堮の地まで来た。（　）
13 戦場でも嬖姫を手離さなかった。（　）
14 宮室を卑しくして力を溝洫に尽くす。（　）
15 野原で若駒を馳騁させる。（　）
16 凶作で殍餓する人が多かった。（　）
17 宮中で乞巧奠の準備をしている。（　）
18 連坐の人々を皆奚奴と為す。（　）
19 人となりは簡易佚蕩である。（　）
20 臥榻の側、豈他人の鼾睡を容さんや。（　）
21 君臣相顧みて尽く衣を沾す。（　）
22 酒や餅を神前に饌える。（　）

23 林間に酒を煖めて紅葉を焼く。（　　）
24 猊の座は王者、高僧の座である。（　　）
25 秕を振るい分ける。（　　）
26 狗猛ければ酒酸にして售れず。（　　）
27 汗流れて背に浹し。（　　）
28 学を好み業を肄い終日倦まず。（　　）
29 諸侯の兵を弭めて以て名を為さん。（　　）
30 酒樽を衢に置いて自由に飲ませる。（　　）

(二) 2×20 /40

次の傍線部分の**カタカナ**を**漢字**で記せ。19、20は**国字**で答えること。

1 舟が**ミオ**を引いて去って行く。（　　）
2 職責の**ラチガイ**のことは無視する。（　　）
3 薪能の**カガリビ**が焚かれる。（　　）
4 **オバシマ**に忘れ得ぬ人の名を刻む。（　　）
5 戦況の行方については**ギャクト**し難い。（　　）
6 長唄を少々**タシナ**んでいる。（　　）
7 **ロウソウ**とは思えぬ健脚ぶりだ。（　　）
8 二人の話に**クチバシ**を挟む。（　　）
9 その人の死を朝野共に**シサ**する。（　　）
10 **コウゾ**を育てて和紙を漉く。（　　）
11 いつまで経っても**ウダツ**が上がらない。（　　）
12 **ケイチツ**は二十四節気のひとつだ。（　　）
13 **イチリュウ**の旗が風に翻る。（　　）
14 **ショウヨウ**黙しがたく……。（　　）
15 ソクラテスは毒を**アオ**った。（　　）
16 **シゴウ**と雖も私物化せず。（　　）
17 没後に**シゴウ**を贈る。（　　）
18 **シゴウ**が過ぎれば没落する。（　　）
19 **ムロ**の木は常緑樹である。（　　）
20 **タスキ**がけで掃除する。（　　）

2×5 /10

(三)

次の1～5の意味を的確に表す語を、左の［ ］から選び、**漢字**で記せ。

1 あと書き。（ ）
2 とばりを廻らした陣営。（ ）
3 悪いものが荒れ狂うこと。（ ）
4 人と別れること。（ ）
5 非常に手厳しいこと。（ ）

いあく・ぎんせん・しょうけつ・じょばつ
しんらつ・ばつぶん・ひはん・べいべつ

2×15 /30

(四)

次の**問1**と**問2**の四字熟語について答えよ。

問1 次の四字熟語の（1～10）に入る適切な語を下の［ ］から選び**漢字二字**で記せ。

1（ ）括羽　6 昏定（ ）
2（ ）画粥　7 集腋（ ）
3（ ）奇偉　8 窮兵（ ）
4（ ）陣馬　9 盈則（ ）
5（ ）玉樹　10 雲遊（ ）

かいご・けんか・しんせい・せいきゅう
ぞくれい・だんせい・とくぶ・ひっき
ふうしょう・へいき

問2 次の1～5の**解説・意味**にあてはまる四字熟語を後の［ ］から選び、その**傍線部分だけの読み**を**ひらがな**で記せ。

1 離れ離れになった男女が再会できないこと。（ ）
2 修行者が煩悩を断ち切ること。（ ）
3 物事のはじめのこと。（ ）
4 高位の貴族のこと。（ ）
5 貧しい生活のこと。（ ）

華冑摂籙・瓶墜簪折・蒼蠅驥尾・只管打坐
褞袍粗糲・截断衆流・大略椎輪・鼎鐺玉石

(五)

1×10 　/10

次の**熟字訓・当て字の読み**を記せ。

1 花楸樹（　　）
2 海盤車（　　）
3 側金盞花（　　）
4 白及（　　）
5 蕁麻（　　）
6 垣衣（　　）
7 郁李（　　）
8 爪哇（　　）
9 二合半（　　）
10 玄参（　　）

(六)

1×10 　/10

次の**熟語の読み**（**音読み**）と、その**語義**にふさわしい**訓読み**を（送りがなに注意して）**ひらがな**で記せ。

〈例〉健勝…勝れる → けんしょう／すぐ

ア 1 甄別（　　）…2 甄ける（　　）
イ 3 勠力（　　）…4 勠せる（　　）
ウ 5 註釈（　　）…6 註す（　　）
エ 7 揀択（　　）…8 揀ぶ（　　）
オ 9 彽徊（　　）…10 彽る（　　）

(七)

2×10 　/20

次の1～5の**対義語**、6～10の**類義語**を後の□の中から選び、**漢字**で記せ。□の中の語は一度だけ使うこと。

対義語

1 崇拝（　　）
2 標準語（　　）
3 早春（　　）
4 有罪（　　）
5 天神（　　）

類義語

6 督励（　　）
7 野菜（　　）
8 屹立（　　）
9 教唆（　　）
10 最期（　　）

かご・しそう・しゅうえん・しょうじ
そさい・ちぎ・びょうしゅん・べんたつ
ぼうとく・むこ

2×10

/20

(八) 次の故事・成語・諺の**カタカナ**の部分を**漢字**で記せ。

1 **シトク**の愛。（　　）

2 千羊の皮は一狐の**エキ**にしかず。（　　）

3 **セキシン**を推して、人の腹中に置く。（　　）

4 **チョッカン**は一番槍より難し。（　　）

5 不善人と居るは鮑魚(注)の**シ**(注)に入るが如し。（　　）

6 外には富貴の物語、内には**スネ**より火を出だす。（　　）

7 後悔の**ホゾ**を噬む。（　　）

8 **アツモノ**に懲りて膾を吹く。（　　）

9 他人の**センキ**を頭痛に病む。（　　）

10 **シュウレン**の臣あらんよりは寧ろ盗臣あれ。（　　）

(注) 鮑魚…塩漬の臭い魚。　シ…みせ。

書き2×10
読み1×10

/30

(九) 文章中の傍線（1〜10）の**カタカナ**を**漢字**に直し、波線（ア〜コ）の**漢字**の**読み**を**ひらがな**で記せ。

A 然りと雖も、世には必ず救済を要する窮境不幸の民あり。只之を民間有志の慈仁に一任し置くべき乎[ア]。吾人は慈善の美名を掲げて、私利私欲を営まんと欲する偽善者の横行を慮らずんばあらず。偽善者をして美名の下に隠れて、一個の私を恣[イ]にせしむるの害は、悪名の下に悪行をなす者の害より甚だし。是の如きは決して**キユウ**[1]に非ず。既に吾人の見聞したる所にして、今日数十の慈善的会社の中にも、亦[ウ]此の類のもの必ず無しと言うべからざるなり。是国家の棄て置くべからざる所にして如何にして国家が之を監督すべきかは、必然考究を要する所なり。

世には己が怠慢過失罪悪の為に窮境に陥り、併せて妻子ケンゾク[2]をして、終生苦界にチンリン[3]せしむる者ありと雖も、又天災地変の襲う所となり、或いは物質的文明の圧力の為に、已むなく[エ]不幸の境遇に堕落するもの尠なからず[オ]。此れ等のアワ[4]れむべき種族に対しては、保護救助を与うること、寧ろ国家の義務たるべし。吾人はかの貧窮罪悪の総てを挙げて、一に之を社会の罪責に帰せんと欲する詭激[カ]なる一派の社会主義に党すること能わず。是ヒッキョウ[5]欧米に於ける物質的文明の余毒に対する反動に過ぎずと雖も其の余りに人生を無みしたる不健全の思想は、エンセイ[6]怨人の悪風をマンエン[7]し、其の結果の真に恐るべきものあればなり。

（島田三郎「慈善事業の方針と国民の思想」より）

B　薩長の二藩が、幕府の衰微に乗じ、率先して政界に起てるは、関ケ原以来の宿怨を霽[キ]らさんとする事情もあるべけれども、其の志す所は天下にあり。唯其の時機未だ至らざるが故に、形式を公武間の周旋に藉[ク]りて其の活動を試みたるのみ。雄藩の中に於いて早く朝廷・幕府に重きをなしたる水戸藩は、戸田忠太夫藤田誠之進先ず逝き、烈公尋(つい)でコウ[8]じ給うに及び、藩士は其の中心を失いてナイコウ[9]絶えず、今は一藩内の統一さえ欠きたれば（中略）空しく薩長のコウジン[10]を拝せざるを得ざりしが、其の藩士又は脱藩士の中には、尚薩長の諸士と提挈[ケ]して奔走する者少なからず。今先ず水長二藩士の関係を叙して、長薩二藩の興起に及び、其の間に浪人の行動を点綴[コ]せんとす。（渋沢栄一「徳川慶喜公伝」より）

1	ア
2	イ
3	ウ
4	エ
5	オ
6	カ
7	キ
8	ク
9	ケ
10	コ

本試験型

1級 第15回★テスト

〈60分〉

合計点

200点満点の　　点

- 160点以上 合格
- 130点以上 もう一度学習を
- 100点以上 猛勉強が必要
- 99点以下 受検級を考え直しましょう

1×30　　/30

(一) 次の傍線部分の読みをひらがなで記せ。1〜20は**音読み**、21〜30は**訓読み**である。

1 思い蹇産として釈けず。（　　）
2 蓼虫、葵菜に徙るを知らず。（　　）
3 言動に忸怩の程を示す。（　　）
4 老人は哽声で語った。（　　）
5 倏忽として已に五十、坐臥多し。（　　）
6 今は譲位し藐姑射の山におわす。（　　）
7 怛傷して安からず。（　　）
8 樵叟に山越えの道案内を頼む。（　　）
9 端硯瑩潤にして瑕無し。（　　）
10 庫を封閉して鑰匙を預かる。（　　）
11 子規の獺祭書屋に弟子が集う。（　　）
12 街道には駅站を置いた。（　　）
13 床や天井を槍で戳しつつ探す。（　　）
14 璞玉の如き人柄を愛す。（　　）
15 朶頤且く我が咀啖を快くす。（　　）
16 都大路を獰飆が駆け抜ける。（　　）
17 短檠を灯して書を読む。（　　）
18 夙に疾病に罹り牀蓐に在り。（　　）
19 溥天の下、王土に非ざる莫し。（　　）
20 これに近づくも慭慭然として相知るなし。（　　）
21 檣が撓うほどの強風である。（　　）
22 射猟に従いて猛獣を搭ち殺す。（　　）

23 痼りを残さないよう気を遣う。（　　）
24 牆に耳あり、伏寇側らに在り。（　　）
25 台風で渾った池の水を取り替える。（　　）
26 敗走する中で敵の俘となった。（　　）
27 古墓 犂かれて田と為る。（　　）
28 陰陽を調理し風雅を燮げ諧える。（　　）
29 天子、親しく馬揃えを臠す。（　　）
30 蓍を手に可否を占う。（　　）

2×20

／40

(二)

次の傍線部分の**カタカナ**を**漢字**で記せ。19、20は**国字**で答えること。

1 蒸し暑いこと**オビタダ**しい。（　　）
2 度重なる誤審に**イキ**り立つ。（　　）
3 **ヒイキ**の引き倒しになる。（　　）
4 「妻を**メト**らば才たけて」と歌った。（　　）
5 好評**サクサク**の新作を読む。（　　）
6 一触即発の危険を**ハラ**む。（　　）
7 自殺**ホウジョ**の廉で取り調べを受ける。（　　）
8 **ロク**に受験勉強もせずに合格した。（　　）
9 遊覧船で**トウショ**巡りを楽しむ。（　　）
10 山伏に身を**ヤツ**して関所を越えた。（　　）
11 相手の勢いに**ヘキエキ**する。（　　）
12 **ルイジャク**で学校も休みがちだ。（　　）
13 文明は**ランジュク**の域に達した。（　　）
14 お**ナイド**金から支出する。（　　）
15 大河は**トウトウ**として流れる。（　　）
16 鼓は**トウトウ**として鳴り響く。（　　）
17 手足に**カセ**をはめられた。（　　）
18 **カセ**で紡ぎ糸を巻き取る。（　　）
19 **エビ**で鯛を釣る。（　　）
20 文様は**ウン**繝雲形である。（　　）

2×5 ／10

(三) 次の1～5の意味を的確に表す語を、左の□から選び、**漢字**で記せ。

1 心中を打ち明けること。（　　）
2 研究して身につけた知識。（　　）
3 にわか雨。（　　）
4 基本的区分、カテゴリー。（　　）
5 サンスクリット語のこと。（　　）

うんちく・かんきん・しゅうう・しんげつ
はんちゅう・ひれき・べんべつ・ぼんご

2×15 ／30

(四) 次の**問1**と**問2**の四字熟語について答えよ。

問1 次の四字熟語の（1～10）に入る適切な語を下の□から選び**漢字二字**で記せ。

1（　　）湛碧 ― 6 四顧（　　）
2（　　）交通 ― 7 窺伺（　　）
3（　　）風従 ― 8 殊域（　　）
4（　　）万間 ― 9 麟角（　　）
5（　　）之性 ― 10 宵衣（　　）

かんしょく・きょうけい・こうか・こうぼ
せんぱく・そうえん・ていこう・どうし
ほうし・りょうかく

問2 次の1～5の**解説・意味**にあてはまる四字熟語を後の□から選び、その**傍線部分だけの読み**を**ひらがな**で記せ。

1 文章が自在に、また巧妙に変化すること。（　　）
2 出家者となり修行を積むこと。（　　）
3 非常に記憶力がよいことのたとえ。（　　）
4 世の中が大いに混乱するたとえ。（　　）
5 乱世を嘆いて逃避すること。（　　）

黔驢之技・乗桴浮海・瑜伽三密・波詭雲譎
麋沸蟻聚・斗斛之禄・禰衡一覧・毛骨悚然

1×10
/10

(五)

次の**熟字訓・当て字**の**読み**を記せ。

1 窩主（　　）
2 暹羅（　　）
3 海鼠腸（　　）
4 胡銅器（　　）
5 金襖子（　　）
6 豉豆虫（　　）
7 黄楊（　　）
8 満天星（　　）
9 巻丹（　　）
10 風信子（　　）

1×10
/10

(六)

次の**熟語の読み**（**音読み**）と、その**語義**にふさわしい**訓読み**を（送りがなに注意して）**ひらがな**で記せ。

〈例〉健勝……勝れる → けんしょう／すぐ

ア 1 震盪（　　）……2 盪く（　　）
イ 3 仔肩（　　）……4 仔える（　　）
ウ 5 莅事（　　）……6 莅む（　　）
エ 7 陞進（　　）……8 陞る（　　）
オ 9 邐言（　　）……10 邐い（　　）

2×10
/20

(七)

次の1～5の**対義語**、6～10の**類義語**を後の□の中から選び、**漢字**で記せ。
□の中の語は一度だけ使うこと。

対義語

1 本邸（　　）
2 都雅（　　）
3 成人（　　）
4 多大（　　）
5 謙遜（　　）

類義語

6 本屋（　　）
7 形代（　　）
8 舟唄（　　）
9 急所（　　）
10 火葬（　　）

あがもの・きょうばつ・こうけい・しょし
せんしょう・だび・とうか・べっしょ
ようじゅ・りひ

2×10

（八）次の故事・成語・諺の**カタカナ**の部分を**漢字**で記せ。

1 鳥なき里の**コウモリ**。（　　）
2 **キュウカ**花を生ぜず。（　　）
3 二足の**ワラジ**を履く。（　　）
4 駕籠**カ**き駕籠に乗らず。（　　）
5 **シラミ**の皮を槍で剝ぐ。（　　）
6 **ショッケン**日に吠ゆ。（　　）
7 貪欲は**シャシ**より起こり、忿怒は我慢より起こる。（　　）
8 勧学院の雀は**モウギュウ**(注)を囀る。（　　）
9 **イッボウ**の争い。（　　）
10 赤貧洗うが如し、**ゼッコウ**殆ど衣食を給せず。（　　）

（注）モウギュウ…唐の時代に書かれた歴史教科書。

書き2×10
読み1×10

（九）文章中の傍線（1～10）の**カタカナ**を**漢字**に直し、波線（ア～コ）の**漢字**の**読み**を**ひらがな**で記せ。

A
蟻は甘きに集まり、人は新しきに集まる。文明の民は劇烈なる生存のうちに**ブリョウ**[1]をかこつ。（中略）文明は人の神経を髪剃に削って、人の精神を**ス**[2]り粉木と鈍くする。刺激に**マヒ**[3]して、しかも刺激に渇くものは数を尽くして新しき博覧会に集まる。

狗[ア]は香を恋(した)い、人は色に趁(はし)る。狗と人とは此の点に於いて尤[イ]も鋭敏な動物である。紫衣と云い、黄袍[ウ]と云い、青衿[エ]と云う。皆人を呼び寄せるの道具に過ぎぬ。土堤を走る弥次馬は必ず色々の旗を担ぐ。担がれて懸命に**カイ**[4]を操るものは

ア	1
イ	2
ウ	3
エ	4
オ	5
カ	6
キ	7
ク	8
ケ	9
コ	10

色に担がれるのである。天下、天狗の鼻より著しきものはない。天狗の鼻は古より赫奕[オ]として赤である。色のある所は千里を遠しとせず。凡ての人は色の博覧会に集まる。

蛾は燈に集まり、人は電光に集まる。輝くものは天下を牽く[カ]。金銀、硨磲（しゃこ）、メノウ[5]、琉璃、閻浮檀金[キ]、の属を挙げて、悉く退屈の眸[ク]を見張らして、疲れたる頭を我破と跳ね起こさせる為に光るのである。昼を短しとする文明の民の夜会には、あらわなる肌にチリバ[6]めたる宝石が独り幅を利かす。（中略）文明を刺激の袋の底にフル[7]い寄せると博覧会になる。博覧会を鈍き夜の砂にコ[8]せばサン[9]たるイルミネーションになる。イヤシク[10]も生きてあらば、生きたる証拠を求めんが為にイルミネーションを見て、あっと驚かざるべからず。文明にマヒしたる文明の民は、あっと驚く時、始めて生きて居るなと気が付く。

（夏目漱石「虞美人草」より）

B 謹んで按ずるに、応神帝十五年、百済の儒者阿直岐来たって太子に師たり。翌王仁来たって経典を献ず。儒学始めて開けて、文道爰[ケ]に行わる。継体帝に至って、特に五経博士を徴す。大学の建つ、蓋し斯の際に在り。而して大宝元年文武帝学に幸し、始めて釈尊の礼を行う。然も未だ其の在る所を詳らかにせず。桓武帝都を葛野に遷すに臻る[コ]に及んで、国学朱雀の東に在り。郷学は、蓋し吉備公大宰府学を建つるに始まりて、弘仁中冬嗣公勧学院を剏（おこ）し、次いで行平公奨学院を起こす。且つ清和帝詔して、新修釈奠式を五畿七道に頒かつ。

（寺門静軒「江戸繁盛記」より）

本試験型

1級 第16回★テスト

〈60分〉

合計点

200点満点の　　点

- 160点以上 合格
- 130点以上 もう一度学習を
- 100点以上 猛勉強が必要
- 99点以下 受検級を考え直しましょう

1×30

　　/30

(一)

次の傍線部分の読みをひらがなで記せ。
1～20は音読み、21～30は訓読みである。

1 睚眥誅傷せざるなし。（　　）
2 俗吏の務むる所は刀筆筐篋に在り。（　　）
3 儔匹無く形影自ら相親しむ。（　　）
4 古刹の蘚磴を踏みしめつつ上る。（　　）
5 常に矻矻として怠らず。（　　）
6 寒浪、岩の竅隙を洗う。（　　）
7 現今の政局につき一齣論ずる。（　　）
8 盍簪櫪馬喧し、列炬林鴉を散ず。（　　）
9 一条天皇は七歳で践祚した。（　　）
10 昊天を瞻矚すれば微かに光る星有り。（　　）
11 虎賁十人を選んで潜入させた。（　　）
12 罪人に笞撻百の刑が言い渡された。（　　）
13 相争奪して釁端を起こすことを得ず。（　　）
14 我をして几を撫して嗟咨せしむ。（　　）
15 客の館（やど）る所を完（まった）くし牆垣を厚うす。（　　）
16 万余の軍が萃聚して城を囲む。（　　）
17 我が田は荊渓の上（ほとり）、伏臘に亦粗供す。（　　）
18 牛驥、皁を同じうす。（　　）
19 朕之を飫聞せり、多言すること勿れ。（　　）
20 先民言えること有り、芻蕘に詢ると。（　　）

21 無礼を窘める。（　　）
22 哭声直上して雲霄を干す。（　　）

23 遥かに遐い旅路を想う。（　　）
24 父母に事えては能く其の力を竭くす。（　　）
25 鑿で彫る技を映像に残す。（　　）
26 憲章令典範を後世に貽さんとす。（　　）
27 南山の寿の如く、騫けず崩れず。（　　）
28 瓶中の氷を睹て天下の寒を知る。（　　）
29 互に言い交わす。（　　）
30 生活上の悪習が健康を蠹む。（　　）

（二）

2×20　/40

次の傍線部分の**カタカナ**を**漢字**で記せ。19、20は**国字**で答えること。

1 夜の盛り場を**ハイカイ**する。（　　）
2 侵入者に猛犬を**ケシカ**ける。（　　）
3 **フンマン**やるかたない思いがする。（　　）
4 誠に**ザンキ**に堪えない。（　　）
5 **アララギ**は野蒜の古名である。（　　）
6 対立候補を**ハタ**とにらみ付ける。（　　）
7 **ホコリマミ**れの古書から大発見があった。（　　）
8 分野別の**イホウ**を提出する。（　　）
9 罪のない市民を**サツリク**する。（　　）
10 相手の心中を**ソンタク**する。（　　）
11 **ケンショウ**炎に罹る。（　　）
12 **サナギ**の羽化を観察する。（　　）
13 糯米と**ウルチ**米半々で炊く。（　　）
14 村外れに古びた**ホコラ**がある。（　　）
15 **ユウジョウ**の礼を以て道をあける。（　　）
16 弁慶は**ヤブスマ**の中で絶命した。（　　）
17 **イッサン**を傾ける。（　　）
18 **イッサン**を博す。（　　）
19 川の瀬に**ヤナ**を打つ。（　　）
20 足袋の**コハゼ**をしっかり止める。（　　）

(三)

2×5　/10

次の1～5の意味を的確に表す語を、左の□から選び、**漢字**で記せ。

1 満ち欠けのこと。（　　）
2 退位した君主が再び即位すること。（　　）
3 多くの垂れ下がった枝。（　　）
4 かたいもののぶつかり合う音。（　　）
5 落とし穴。（　　）

かんせい・きえい・けんぺい・こうこう
ばんだ・ふくへき・ぼけつ・れんり

(四)

2×15　/30

次の**問1**と**問2**の四字熟語について答えよ。

問1 次の四字熟語の（1～10）に入る適切な語を下の□から選び**漢字二字**で記せ。

1（　　）懲創	6 無根（　　）
2（　　）及米	7 干戚（　　）
3（　　）旁旁	8 秀麗（　　）
4（　　）皓歯	9 桃傷（　　）
5（　　）虚造	10 槁項（　　）

あいきょう・うぼう・きょうへき・こうかく
こうけつ・しかい・しこう・まんり
むてい・りふ

問2 次の1～5の**解説・意味**にあてはまる四字熟語を後の□から選び、その**傍線部分だけの読み**を**ひらがな**で記せ。

1 昔の中国の物価対策。（　　）
2 軽業のこと。（　　）
3 貧しい生活のこと。（　　）
4 親の老いに気付き嘆くこと。（　　）
5 海の波がわきおこるさま。（　　）

伯兪泣杖・面折廷諍・紫瀾洶湧・簇酒斂衣
汨羅之鬼・君恩海壑・糶糴斂散・橦末之伎

（五）

1×10　　/10

次の**熟字訓・当て字**の**読み**を記せ。

1 蝲蛄（　　）
2 凌霄花（　　）
3 木天蓼（　　）
4 蚊母鳥（　　）
5 老海鼠（　　）
6 車前草（　　）
7 緬甸（　　）
8 火魚（　　）
9 水雲（　　）
10 小連翹（　　）

（六）

1×10　　/10

次の**熟語**の**読み**（**音読み**）と、その**語義**にふさわしい**訓読み**を（送りがなに注意して）**ひらがな**で記せ。

〈例〉健勝…勝れる → けんしょう／すぐ

ア 1 覃思（　　）…2 覃い（　　）
イ 3 旰昃（　　）…4 昃く（　　）
ウ 5 菲徳（　　）…6 菲い（　　）
エ 7 湍流（　　）…8 湍い（　　）
オ 9 裹頭（　　）…10 裹む（　　）

（七）

2×10　　/20

次の1～5の**対義語**、6～10の**類義語**を後の□の中から選び、**漢字**で記せ。□の中の語は一度だけ使うこと。

対義語

1 逃走（　　）
2 猛暑（　　）
3 禅譲（　　）
4 寛容（　　）
5 断絶（　　）

類義語

6 柩車（　　）
7 暫時（　　）
8 畦道（　　）
9 逡巡（　　）
10 牢獄（　　）

けんきょう・さんしょう・しょうかん・しょうじ
せんぱく・だほ・ちゅうちょ・ほうばつ
れいぎょ・れいじ

2×10

/20

(八)

次の故事・成語・諺の**カタカナ**の部分を**漢字**で記せ。

1 千人の諾諾は、一士の**ガクガク**にしかず。（　）

2 泣いて**バショク**を斬る。（　）

3 鴻毛を以て**ロタン**の上に燎く。（　）

4 **ボロ**でも八丈。（　）

5 **セッカク**(注)の屈するは伸びんがため。（　）

6 青春は**テラ**いではない。青春は一つの芸術である。（　）

7 朝菌は晦朔を知らず、**ケイコ**は春秋を知らず。（　）

8 左思いに右**ソシ**り。（　）

9 人の**フンドシ**で相撲を取る。（　）

10 大匠は拙工の為に縄墨を改廃せず、羿(げい)は**セッシャ**の為にその彀率(こうりつ)を変ぜず。（　）

（注）セッカク…しゃくとりむし。

書き2×10
読み1×10

/30

(九)

文章中の傍線（1～10）の**カタカナ**を**漢字**に直し、波線（ア～コ）の**漢字**の**読み**を**ひらがな**で記せ。

A　宗助は剛情な聴かぬ気の腕白小僧としての小六をいまだに記憶している。その時分は父も生きていたし、家の都合も悪くはなかったので、抱え車夫を邸内の長屋に住まわして、楽に暮らしていた。この車夫に小六よりは三つほど年下の子供があって、始終小六の御相手をして遊んでいた。ある夏の日盛りに、二人して、長い[1]**サオ**のさきへ菓子袋を[2]**ク**り付けて、大きな柿の木の下で蝉の捕りくらをしているのを、宗助が見て、兼坊そんなに頭を日に照らし付けると[3]**カクラン**になるよ、さあこれを被れ、といって、小六の古い夏帽を出してやった。すると、小六は自分の所有物を兄が無

1	ア
2	イ
3	ウ
4	エ
5	オ
6	カ
7	キ
8	ク
9	ケ
10	コ

断で他に呉れてやったのが、[4]シャクに障ったので、突然兼坊の受け取った帽子を引ったくって、それを地面の上へ抛[ア]げつけるや否や、馳け上がるようにその上へ乗って、くしゃりと[5]ムギワラボウを踏み潰してしまった。宗助は縁から跣足で飛んで下りて、小六の頭を擲[イ]り付けた。その時から、宗助の眼には、小六が小悪らしい小僧として映った。

（夏目漱石「門」より）

B 志士仁人の事業は社会に在り。生活問題は租税問題よりは人生に適切なるにあらずや。徳義問題は法律問題よりは人生に適切なるにあらずや。風俗衛生の事は[6]カンカ銃砲の事よりは人生に適切なるにあらずや。終生[7]アクサクとして一歓楽だも且つ得べからず、終日労苦して[8]ソウコウ（注）にも饜（あ）くべからずんば、其の情も亦憐れむべからずや。信義の行われずして悖徳[ウ]の社会に塞[エ]つる、鄭声[オ]の街衢[カ]を圧して行人の耳目を惑乱する、鰥寡[キ]孤独告ぐる所なきの輩、累々然喪家の犬の如きを見ば、皆以て吾人の心を傷ましむるに足れり。巷路の雑然たる、四辺の[9]オワイなる、飲食の不潔なる、殆ど日夕の堪ゆる所にあらず。一朝疫癘[ク]の襲うあれば、隣保郷党[10]クビスを接して黄泉の客たるものあるに至りては、惨も亦極まる。是を以て人生の愉楽は同朋の幸福より大なるはなし。比隣皆陋醜[ケ]と苦痛とならば、己独り楽しまんと欲するも、将[コ]た之を如何せんや。社会の改良は人生幸福の基礎なり。

（須崎黙堂「社会観」より）

（注）酒かすと米ぬか。粗末な食べ物。

本試験型

1級 第17回★テスト

〈60分〉

合計点

200点満点の　　点

- 160点以上 合格
- 130点以上 もう一度学習を
- 100点以上 猛勉強が必要
- 99点以下 受検級を考え直しましょう

1×30　　／30

(一)

次の傍線部分の読みをひらがなで記せ。
1～20は**音読み**、21～30は**訓読み**である。

1 三月上巳水瀕に祓禊す。（　　）
2 父は胥吏として勤務生活を終えた。（　　）
3 この分野は先輩の独擅場だ。（　　）
4 巻子本に題簽を貼付する。（　　）
5 君子の徳を脩むるは笄丱に始まる。（　　）
6 糜爛した国家を嘆き悲しむ。（　　）
7 賞賜度無く府蔵を竭尽す。（　　）
8 群子の世に屯蹇するに至る。（　　）
9 魚豕譌舛を知り訂詳す。（　　）
10 穆として、温柔にして以て怡懌す。（　　）
11 廟堂に簪笏威儀を正す。（　　）
12 澎湃たる河は坂東太郎の異名を持つ。（　　）
13 岩の裂罅から水が浸み出てくる。（　　）
14 縲絏に在れども志は曲げず。（　　）
15 叙位に際し臣下の品騭を行う。（　　）
16 藕糸を集めて曼荼羅を織る。（　　）
17 潦倒新たに停む濁酒の杯。（　　）
18 有無を懋遷して万邦乂を為す。（　　）
19 幎を為りて以て冒いて死せり。（　　）
20 呼吸は雲と為り、噫欠は風と為る。（　　）

21 今朝とれた魚を糶に掛ける。（　　）
22 嘗てこの浜は鯡漁で賑わったものだ。（　　）

23 学びて思わざれば則ち罔し。（　　）
24 川岸に篷舟一艘を舫う。（　　）
25 夐か故郷に想いを馳せる。（　　）
26 味噌汁に糵を入れて食す。（　　）
27 煎餅布団に包まって薄い粥を啗る。（　　）
28 造り飲めば輒ち尽くす。（　　）
29 長年の疑問が漸く渙けた。（　　）
30 柳の枝を切って綰ねる。（　　）

(二)

2×20 / 40

次の傍線部分の**カタカナ**を**漢字**で記せ。19、20は**国字**で答えること。

1 最期の言葉が**ジダ**に残る。（　　）
2 相手の自負心を**クスグ**る。（　　）
3 海外の研究所で**ケンサン**を積む。（　　）
4 降り積もる雪に枝が**シナ**う。（　　）
5 父が**フシクレ**立った手で孫を抱いた。（　　）
6 飢えと寒さで**ヘイシ**する。（　　）
7 大臣邸から**ムシケラ**同然に追い払われた。（　　）
8 **シツヨウ**に返済を迫る。（　　）
9 全身に**ケイレン**が走る。（　　）
10 **ツルハシ**を担いで工事現場に行く。（　　）
11 無名校が甲子園優勝を**サラ**った。（　　）
12 泉の水が**コンコン**と湧き出る。（　　）
13 憐れみを乞うて**ビンショウ**を買った。（　　）
14 **ミョウバン**は染色などに用いられる。（　　）
15 ライオンの**タテガミ**が風に靡く。（　　）
16 辺りは**ゲキ**として声無し。（　　）
17 各地の同志に**ゲキ**を飛ばす。（　　）
18 **ゲキ**を亡いて矛を得。（　　）
19 しろがねの**ハンゾウ**で水を汲む。（　　）
20 刀剣に**ハバキ**をつける。（　　）

2×5 ／10

(三) 次の1～5の意味を的確に表す語を、左の［　］から選び、**漢字**で記せ。

1 たのみとすること。（　　）
2 同じ状態のまま変化しないこと。（　　）
3 天子のこころのこと。（　　）
4 商人のこと。（　　）
5 寝ても覚めても。（　　）

かくせい・こうちゃく・こじ・こじん
ごび・しんきん・むび・ようげき

2×15 ／30

(四) 次の［問1］と［問2］の四字熟語について答えよ。

問1 次の四字熟語の（1～10）に入る適切な語を下の［　］から選び**漢字二字**で記せ。

1（　　）蕭蕭 — 6 灼然（　　）
2（　　）縦横 — 7 区聞（　　）
3（　　）不同 — 8 鉤章（　　）
4（　　）八街 — 9 漿酒（　　）
5（　　）遺愛 — 10 風岸（　　）

かくにく・かしゅ・かんとう・きょくく
こしょう・しく・すうけん・せいらい
ちてい・へいこ

問2 次の1～5の**解説・意味**にあてはまる四字熟語を後の［　］から選び、その**傍線部分だけの読み**を**ひらがな**で記せ。

1 世の中が泰平であること。（　　）
2 壮大な滝の形容。（　　）
3 陰険な手段で人を害すること。（　　）
4 意気地の無さを辱めるたとえ。（　　）
5 孝養は親が存命中に尽くすべきである。（　　）

肩摩轂撃・枯魚銜索・亮遺巾幗・悖出悖入
銀河倒瀉・含沙射影・文恬武嬉・鴟目虎吻

1×10 ／10

(五)

次の熟字訓・当て字の読みを記せ。

1 鹿尾菜（　　）
2 拳螺（　　）
3 枸橘（　　）
4 繁縷（　　）
5 日照雨（　　）
6 鱠残魚（　　）
7 哨吶（　　）
8 珍珠花（　　）
9 戴勝（　　）
10 莫斯科（　　）

1×10 ／10

(六)

次の熟語の読み（音読み）と、その語義にふさわしい訓読みを（送りがなに注意して）ひらがなで記せ。

〈例〉健勝…勝れる → けんしょう／すぐ

ア 1 怕畏（　　）…2 怕れる（　　）
イ 3 拯世（　　）…4 拯う（　　）
ウ 5 簇生（　　）…6 簇がる（　　）
エ 7 啓迪（　　）…8 迪く（　　）
オ 9 躑躅（　　）…10 躑る（　　）

2×10 ／20

(七)

次の1～5の対義語、6～10の類義語を後の□の中から選び、漢字で記せ。□の中の語は一度だけ使うこと。

対義語

1 朝暾（　　）
2 騒然（　　）
3 淡水（　　）
4 投錨（　　）
5 少量（　　）

類義語

6 黎首（　　）
7 書簡（　　）
8 身内（　　）
9 末世（　　）
10 内訌（　　）

かいらん・かんすい・ぎょうき・げきしょう
けんぞく・せいひつ・せきとく・そうぼう
ばんこく・らっき

（八）

2×10　／20

次の故事・成語・諺の**カタカナ**の部分を**漢字**で記せ。

1 **エンカ**の駒。（　　）

2 家鶏を軽んじて**ヤチ**を愛す。（　　）

3 蛍火をもって**シュミ**を焼く。（　　）

4 鼬のなき間の**テン**誇り。（　　）

5 病**コウコウ**に入る。（　　）

6 **カゼン**の和は、一味に取るにあらず。（　　）

7 暴虎**ヒョウガ**の勇。（　　）

8 人の**サイセン**で鰐口叩く。（　　）

9 **ヒニク**の嘆。（　　）

10 墨を磨るは病児の如くし、筆を把るは**ソウフ**の如くす。（　　）

（九）

書き2×10
読み1×10　／30

文章中の傍線（1〜10）の**カタカナ**を**漢字**に直し、波線（ア〜コ）の**漢字**の**読み**を**ひらがな**で記せ。

A 母上の伴して上州なる姉君を訪い参らす次でに音に聞く碓氷の秋を訪わんと思い立ち、明治廿六年天長節の朝九時上野発の汽車に乗り込み候節は、湿雲漠々都城を圧し、あわれ此の度も亦雨師風伯の**ケンコ**[1]を蒙ることかと窃かに眉を**ヒソ**[2]め候いしが、汽車王子あたりを過ぐる頃より雲裂けて一線二線の金光忽然玻璃窓に落ち、大宮に到る頃には何時の間にやら日本晴れの空と相成り候。天気の局面一変よりして気分迄も局面一変致し候故にや、**ソモソモ**[3]亦秋と申す画師の筆の殊妙なる故にや、是迄往来する度毎に平凡なり単調なりと思いて**ロクロク**[4]見もせざりし沿道の風景は、車の一

ア	1
イ	2
ウ	3
エ	4
オ	5
カ	6
キ	7
ク	8
ケ	9
コ	10

転する毎に新たなる面目を呈し来る様に思われ候。京橋日本橋神田あたりにては、晩秋初冬と申し候得ば、唯芋屋ソバ[5]屋の繁昌、呉服店頭の冬着売出しの看板、河岸の柳の衰残等によりて纔[ア]かに其の消息を知る位に候得共、一歩都門を出れば天然は忽地に人を擒[イ]え申し候。

（徳冨蘆花「両毛の秋」より）

B 東京固より人文のエンソウ[6]なりとは云え唐宋八家六子にも比すべき文人詩客を出さんとは予輩の思いも設けぬ所なりしに、朝野新聞に今代の文人を以て唐宋八家に擬し、詩人を以て六家に比したる者あり。日本にも亦其の遺を補うの文あり。予輩一読して後えにドウチャク[7]たらずんば非ず。事古めかしけれどソモソモ文章は経国の大業、不朽の盛事にして古人之を以て生命と為す。紅顔書を挟み白頭筆を握り、該博の学を以て深遠の識を以て言を立つるや其の中物あり。筆を下すや神之を助け、之を運するに渾厚[ウ]雄健の気を以てし、之を出すに烹熟[エ]鍛錬の功を以てす。文成って鏗爾[オ]として金石の響きあり。（中略）風雅起こってより以来、村夫野翁何れか詩を作らざらん、樵唱トウカ[8]以て採桑の詞挿秧[カ]の謡に至るまで蓋し百千万巻を重ぬるも之を尽くす能わず。而して六子者独り雄を当時に擅[キ]にして範を後世に垂るサクサク[9]伝誦、今に至りて衰えず。爾後詩文の道益々盛んなり。精を竭[ク]くし神を労し以て文字に殉ずる者指屈うるに暇あらざるも、能く八家の室を摩して六子の堂に入るものリョウリョウ[10]として聞くなし。（中略）若し此の諸名士をして進修の心あり、反省怠らずんば則ち亦自ら以為[ケ]児戯の如きのみと。而して評者は叨[コ]に此の諸名士を以て八家六子に比す、そも何の心ぞや。

（西村天囚「当代文人の軽薄」より）

クイズ

何問読めますか？①

❶雀鷂
❷没分暁漢
❸山毛欅
❹青竜蝦
❺珠鶏
❻厚皮香
❼側金盞花
❽馬鮫魚
❾鶏児腸
❿僂麻質斯
⓫覆盆子
⓬金雀児
⓭秧鶏
⓮鶏魚
⓯九面芋
⓰鳳尾松
⓱翻筋斗
⓲梭尾螺
⓳海蘿
⓴鴨跖草
㉑望潮
㉒蜀魂
㉓蛇舅母
㉔慈姑
㉕金翅雀
㉖馬陸
㉗狗母魚
㉘水蠆
㉙鉄葉
㉚老海鼠
㉛虎耳草
㉜胡孫眼
㉝玉筋魚
㉞日照雨
㉟鴨脚樹
㊱二合半
㊲冬眠鼠
㊳矮鶏
㊴酸漿
㊵羊栖菜
㊶顳顬
㊷吃逆
㊸善知鳥
㊹映日果
㊺耶悉茗
㊻繍眼児
㊼縹緻
㊽怪鴟
㊾飯匙倩
㊿白膠木

❶つみ❷わからずや❸ぶな❹しゃこ❺ほろほろちょう❻もっこく❼ふくじゅそう❽さわら❾よめな❿りうまち⓫いちご⓬エニシダ⓭くいな⓮いさき⓯やつがしら⓰そてつ⓱もんどり⓲ほらがい⓳ふのり⓴つゆくさ㉑しおまねき㉒ほととぎす㉓かなへび㉔くわい㉕ひわ㉖やすで㉗えそ㉘やご㉙ブリキ㉚ほや㉛ゆきのした㉜さるのこしかけ㉝いかなご㉞そばえ㉟いちょう㊱こなから㊲やまね㊳チャボ㊴ほおずき㊵ひじき㊶こめかみ㊷しゃっくり㊸うとう㊹いちじく㊺ジャスミン㊻めじろ㊼きりょう㊽よたか㊾はぶ㊿ぬるで

※熟字訓・当て字の読み方は一例です。

1級に出る国字

国字（和字）の意味は、「広辞苑」第四版（岩波書店）と「国字の字典」（東京堂出版）を参考にしました。

◀部首
◀国字
◀意味

亻
俤 おもかげ
目先にないものが、いかにもあるかのように見える、顔や姿や物のありさま。顔つき。国字以外では「面影」とも書く。

亻
俥 くるま
人力車のこと。

几
凩 こがらし
秋から初冬にかけて吹く、強く冷たい風。国字以外では、「木枯し」とも書く。

口
叺 かます
主に穀物・塩・石炭などを入れるのに用いる藁むしろの袋。かまけ。また、叺の形に似た、刻みの煙草などを入れる小袋。

口
呎 フィート
ヤード・ポンド法における長さの単位。一フィートは一二インチ、三〇・四八センチメートル。

口
呏 ガロン
ヤード・ポンド法における液体の体積の単位。アメリカでは一ガロンは約三・七八五リットル。

土
圦 いり
土手の下などに樋を埋めて、水の出入りを調節するもの。水門。

女
嬶 かか・かかあ
庶民社会で、自分の妻または他家の主婦を親しんで呼ぶ称。国字以外では「嚊」とも書く。

山
岃 なた
短く厚く、幅の広い刃物。薪などを割るのに用いる。他に国字で「釱」「鉫」「鎅」「鍄」、国字以外では「鉈」とも書く。

弓
弖 て
「てにをは（弖爾遠波）」の「て」。

心
怺える こらえる
たえしのぶ。がまんする。もちこたえる。国字以外では「堪える」とも書く。

手
扨 さて
上を受けて下に移る時の語。また局面をかえて説き起す時の語。そして。それから。ところで。

手
挘る むしる
引き抜く。引きちぎる。他に国字で「毟る」「[扌+毛]る」とも書く。

木
杣 そま
木を植え付け育て、材木をとる山。杣山。「そまぎ」「そまびと」の意味でもある。

木
枡 ます
液体や穀物などの量をはかる容器。普通は一升枡のこと。また、相撲や劇場の枡型に仕切った観客席をもさす。国字以外では「升」とも書く。

木
桛 かせ
紡錘（つむ）でつむいだ糸をかけて巻きとる「工」字形の糸巻。「かせい」と同じ。

木
梻 しきみ
モクレン科の常緑小高木。山地に自生し、また墓地などに植える。「シキビ」「コウシバ」「コウノキ」と同じ。国字以外では「樒」とも書く。

木
梺 ふもと
山の下方の部分。山のすそ。国字以外では「麓」とも書く。

木
椚 くぬぎ
ブナ科の落葉高木。山野に自生し、特に武蔵野の雑木林の主要樹種をなす。他に国字で「椡」、国字以外では「櫟」「橡」「櫪」とも書く。

木　楾（はんぞう）
湯・水を注ぐ道具。柄の中の穴を湯・水が通ずるようにしてあり、この柄が半分本体の中に挿しこまれているところからの名。国字以外では「半挿」とも書く。

木　榁（むろ）
ヒノキ科の常緑針葉樹。東アジア北部に分布し、わが国では関東以南の西日本に自生。庭木、特に生垣に多い。「杜松（ねず）」に同じ。

木　榀（こまい）
檐（のき）の棰（たるき）にわたす細長い材のこと。国字以外では「木舞」「小舞」とも書く。

毛　毟る（むしる）
（密着しているものを）引き抜く。また、引きちぎる。他に国字では「挘る」「[illegible]る」とも書く。

火　熕（コウ／おおづつ）
用い方としては「砲熕」があり、意味はおおづつ（大砲）。

火　燵（タツ）
用い方としては、「炬燵（こたつ）」「火燵（こたつ）」があり、暖をとるもの。

瓦　瓲（トン）
貨物重量の単位。一トンは一、〇〇〇キログラム。

瓦　瓩（キログラム）
質量の単位。一グラムの一、〇〇〇倍。

瓦　瓸（ヘクトグラム）
質量の単位。一グラムの一〇〇倍。

瓦　瓧（デカグラム）
質量の単位。一グラムの一〇倍。

瓦　瓰（デシグラム）
質量の単位。一グラムの一〇分の一。

瓦　甅（センチグラム）
質量の単位。一グラムの一〇〇分の一。

瓦　瓱（ミリグラム）
質量の単位。一グラムの一、〇〇〇分の一。

疒　癪（シャク）
種々病気によって胸部・腹部に起る激痛の通俗的総称。婦人に多い。さしこみ。かんしゃく。いかり。

立　竏（キロリットル）
体積の単位。液体・気体などの計量に使用。一リットルの一、〇〇〇倍。

立　竡（ヘクトリットル）
体積の単位。一リットルの一〇〇倍。

立　竍（デカリットル）
体積の単位。一リットルの一〇倍。

立　竕（デシリットル）
体積の単位。一リットルの一〇分の一。

立　竰（センチリットル）
体積の単位。一リットルの一〇〇分の一。

立　竓（ミリリットル）
体積の単位。一リットルの一、〇〇〇分の一。

竹　簓（セン／ささら）
さらさらと音がするから「ささら」という。竹の先を割って束ねた楽器。また、飯器などを洗うのに用いる、物の端のこまかに砕け割れたもの。だいなしになった物のたとえにも使う。

竹
簗（やな）
川の瀬などで魚をとるための仕掛け。国字以外では「梁」とも書く。

竹
籡（しんし）
洗い張りや染色の時、布の両縁に刺し留めて弓形に張り、布が縮まないようにする具。国字以外では「伸子」とも書く。

米
粏（タ／ぬかみそ）
「糠味噌（ぬかみそ）」のこと。糠に塩水などを加えてねったもの。

米
糀（こうじ）
米・麦・豆などを蒸して、これにこうじ菌を繁殖させたもの。酒・醤油・味噌などを製するのに用いる。国字以外では「麹」とも書く。

米
粨（ヘクトメートル）
長さの単位。一メートルの一〇〇倍。

米
籵（デカメートル）
フランスの長さの単位。一メートルの一〇倍。

糸
綛（かすり／かせ）
「かせ」は一定の長さの周囲を有する枠に一定回数糸を巻いてから、枠を取りはずし、それを束ねたもの。「かすり」とも読む。

糸
縅（おどし／おど(す)）
「緒通し」のこと。鎧（よろい）の札（さね）を糸または細い革でつづること。国字以外では「威し」「脅し」とも書く。

糸
繧（ウン）
「繧繝」と連ねて使う。同色系統の濃淡を段階的に表し、さらにこれと対比的な他の色調の濃淡を組み合わせることによって、一種の立体感や装飾的効果を生み出す彩色法。

糸
纃（かすり）
ところどころかすったように模様を織り出した織物または染模様。他に国字で「綛」、国字以外では「絣」「飛白」とも書く。

糸
纐（コウ）
「纐纈（こうけち／こうけつ）」と連ねて使う。飛鳥・奈良時代に行われたしぼり染めの名。

耳
聢と（しか）
はっきりと。たしかに。国字以外では「確と」とも書く。

舟
艝（そり）
雪・氷などの上をすべらして行くのに用いる乗物または運搬具。他に国字で「轌」、国字以外では「橇」とも書く。

月
膵（スイ）
膵臓のこと。宇田川榛斎がつくった国字。

艹
苆（すさ）
壁土にまぜて亀裂を防ぐつなぎとする繊維質の材料。国字以外では「寸莎」とも書く。

艹
萢（やち／やつ）
低湿地のこと。また北海道で、泥炭地の俗称。国字以外では「谷」「谷地」とも書く。

艹
蓙（ござ）
藺（い）草の茎で織った筵（むしろ）に縁（へり）をつけたもの。もと「御座」。貴人の座に敷くむしろの意から。

虫
蚫（ホウ／あわび）
ミミガイ科の巻貝のうちの大形の種類の総称。国字以外では「鮑」「鰒」とも書く。

虫
蛯（えび）
エビ目の甲殻類の一群の総称。他に国字で「蛃」「蛸」、国字以外では「海老」とも書く。

虫
蟎（だに）
クモ綱ダニ目の節足動物の総称。国字以外では「壁蝨」「蜱」とも書く。

衣
袰（ほろ）
鎧の背につけて飾りとし、時に、流れ矢を防いだ具。他に国字で「縨」、国字以外では「幌」とも書く。

衣 **裃**（かみしも）
江戸時代の武士の礼装。同じ染色の肩衣と袴とを紋服・小袖の上に着るもの。麻上下を正式とする。

衣 **裄**（ゆき）
背中心から手首までの寸法。和服では背縫いから袖口までの長さ。

衣 **褄**（つま）
長着の裾の左右両端の部分。

衣 **襷**（たすき）
衣服のそでをたくし上げるために肩からわきにかけて結ぶひも。国字以外では「手繦」とも書く。

言 **諚**（ジョウ・おきて・おお(せ)）
主君・貴人のいいつけ。命令。

身 **躮**（せがれ）
自分のむすこの謙称。古くは男女ともいった。また、他人のむすこ、年少の男を卑しめていう語。国字以外では「倅」「悴」とも書く。

身 **躾**（しつけ）
礼儀作法を身につけさせること。縫い目を正しく整えるために仮にざっと縫いつけておくこと。国字以外では「仕付け」とも書く。

身 **軈て**（やがて）
おっつけ。そのうちに。早晩。今に。まもなく。ほどなく。

車 **轌**（そり）
雪・氷などの上をすべらして行くのに用いる乗物または運搬具。他に国字で「艝」、国字以外では「橇」とも書く。

辶 **辷る**（すべる）
物の上をなめらかに移行する。にじり移る。静かに退出する。足がなめらかに動いて止まらない。位を降りる。落第する。思わず言う。国字以外は「滑る」とも書く。

辶 **迚**（とて・とて(も)）
とてもかくてもの略。どんなにしても。なんとしても。所詮。とうてい。

辶 **逧**（さこ）
谷の行きづまり、または谷。国字以外では「谷」「迫」とも書く。

辶 **遖**（あっぱれ）
感動詞あはれの促音化。感動したり、ほめたたえたりする時にいう語。

金 **錺**（かざり）
金属のかんざしやブローチ・金具などの細かい細工品。国字以外では「飾り」とも書く。

金 **錵**（にえ）
日本刀の、匂（におい）についで重要な見所で、刃と地肌との境目に銀砂をふりかけたように輝いているもの。

金 **錻**（ブ・ブリキ）
錫（すず）を鍍金（めっき）した薄い鉄板。「錻力（ブリキ）」とも書く。

金 **鎹**（かすがい）
戸をとざす金具。かけがね。建材の合わせ目をつなぎとめるために打ち込む両端の曲がった大釘。他に国字で「⿰金系」とも書く。

金 **⿰金逆**（さかほこ）
天のさかほこの略。天のさかほこに擬して、宮崎県の高千穂峰の頂上に立てられている一丈（約三メートル）の金属製の逆さのほこ。国字以外では「逆鉾」「逆矛」とも書く。

金 **鎺**（はばき）
形が脛巾（はばき）に似ているからという。刀剣・薙刀の刃区（はまち）・棟区（むねまち）にかけてはめこみ刀身が抜けないように締めておく金具。

門 **閊える**（つかえる）
ふさがったり突き当たったりして先に進めなくなる。とどこおる。国字以外では「支える」とも書く。

革 **鞆**（とも）
弓を射る時に、左手首内側につけ、弦が釧（くしろ）などに触れるのを防ぐ、まるい革製の具。

革
鞐 こはぜ
真鍮・角・象牙などでつくった爪形の具で、書物の帙(ちつ)や足袋・脚絆などの合せ目をとめるもの。他に国字で「鞐」、国字以外では「小鉤」とも書く。

風
颪 おろし
山地から吹きおろす風。国字以外では「下ろし」とも書く。

食
饂 ウン
「饂飩(ウドン)」と連ねて使用する。ウンドンのンの音略。めん類の一つ。

魚
魞 えり
定置漁具の一つ。河川・湖沼などの魚の通路に、細長く屈曲した袋状に竹簀(たけす)を立てて、魚を捕える装置。

魚
⿰魚片 なまず
ナマズ科の淡水産の硬骨魚。体は長くのび、五〇センチメートルに達する。口は大きく長いひげがある。他に国字で「鯰」とも書く。

魚
鮖 かじか
カジカ科の淡水産の硬骨魚。体は一見ハゼ型で細長い。国字以外では「鰍」「杜父魚」とも書く。

魚
鮗 このしろ
ニシン科の海産の硬骨魚。背部は青黒く、腹部は銀白色。国字以外では「鰶」「鯯」「鱅」とも書く。

魚
鮇 いわな
サケ科の硬骨魚。暗緑色の地に淡色斑点と小朱点がある。他に国字で「鮨」、国字以外では「岩魚」とも書く。

魚
⿰魚尓 いさざ
ハゼ科の淡水産の硬骨魚。琵琶湖の固有種である。国字以外では「魦」とも書く。

魚
鮟 アン
「鮟鱇(アンコウ)」と、鱇と連ねて使用する。山椒魚の異称。またはアンコウ科の硬骨魚の総称でもある。鮟鱇鍋にして美味。

魚
鮴 ごり
淡水魚。金沢ではカジカ、琵琶湖ではヨシノボリ、高知ではチチブのことを「ごり」という。

魚
鮲 こち まて
「こち」はコチ科の海魚の総称、また、その一種。他に国字で「鯒」とも書く。「まて」はニマイガイ綱に属する軟体動物。

魚
鮱 おおぼら
ボラ科の硬骨魚。卵巣を塩漬にして「からすみ」とする。国字以外では「鯔」とも書く。

魚
鯏 あさり うぐい
マルスダレガイ科の二枚貝。潮干狩りの主要な獲物。「うぐい」と読ませる地方もある。国字以外では「蜊」「浅蜊」「蛤仔」とも書く。

魚
鯑 かずのこ
ニシンのはらごを乾燥または塩漬にした食品。国字以外では「数の子」とも書く。

魚
鯒 こち
コチ科の海魚の総称。また、その一種。他に国字で「鮲」とも書く。

魚
鯎 うぐい
コイ科の硬骨魚。淡水または海水にすむ。国字以外では「石斑魚」とも書く。「いぐい」とも読む。

魚
鯐 すばしり
ボラの稚魚。国字以外では「洲走」「洲走り」とも書く。

魚
鯲 どじょう
ドジョウ科の硬骨魚の総称。口のまわりに五対の口ひげがある。国字以外では「鰌」とも書く。

魚
鯱 しゃち しゃちほこ
クジラ目の歯クジラ。背面は黒、腹面は白色。また、棟飾りの瓦のことでもある。

魚
鯰 ネン なまず
ナマズ科の淡水産の硬骨魚。体は長くのび、五〇センチメートルに達する。体表は滑らかで鱗がない。他に国字で「⿰魚片」とも書く。

部首	国字	読み	意味
魚	鯥	むろあじ	アジ科のムロアジ属の硬骨魚の総称。背部は青緑色、腹部は銀白色。国字以外では「室鰺」とも書く。
魚	鰙	はや・はえ わかさぎ	「わかさぎ」は硬骨魚。体は細長く、体長一五センチメートル。結氷湖の穴釣で有名。他に国字で「⿰魚新」、国字以外では、「公魚」とも書く。
魚	鰚	はらか	鱒(ます)の異称。サクラマスの別称。また、カラフトマスの別称でもあり、その塩干ししたもの。国字以外では「腹赤」とも書く。
魚	鰰	はたはた	ハタハタ科の海産の硬骨魚。口は大きく体には鱗がない。他に国字で「鱩」、国字以外では「燭魚」とも書く。
魚	鱚	きす	キス科の硬骨魚の総称。背びれは二基ある。背部は淡青色、腹部は帯黄白色。国字以外では「鼠頭魚」とも書く。
魚	鱇	コウ	「鮟鱇」の鮟と、連ねて使用する。山椒魚の異称。また、アンコウ科の硬骨魚の総称でもある。鮟鱇鍋にして美味。
魚	鱛	えそ	体長約四〇センチメートル。体は細長く、イワシ型。上等のカマボコ材料。国字以外では「狗母魚」とも書く。
魚	⿰魚恵	あおさば さば	サバ科の海産の硬骨魚。サバ型と称する美しい体型を持ち、背部は青緑色で特異の流紋がある。国字以外では「鯖」とも書く。
魚	鱩	はたはた	ハタハタ科の海産の硬骨魚。漁獲季節によく雷鳴がするのでハタハタ、または「かみなりうお」ともいう。他に国字で「鰰」、国字以外では「燭魚」とも書く。
鳥	鳰	にお	かいつぶりの古名。夏、羽は背面暗褐色、喉側は栗赤色。常に湖沼・河川などの水上に生活する。
鳥	鵆	ちどり	チドリ科に属する大多数の鳥類の総称。群をなして飛ぶことからいう。河原に群棲する。国字以外では「千鳥」とも書く。
鳥	𪀚	とき	トキ科の鳥。嘴は黒く、長大で下方に曲がる。天然記念物に指定されている。国字以外では「鴾」「鴇」「朱鷺」とも書く。
鳥	鵤	いかる いかるが	アトリ科の鳥。頭・風切羽・尾羽は金属光沢ある黒色で、その他はすべて灰色。山地に多い。国字以外では「斑鳩」とも書く。
鳥	鵥	かけす	カラス科の鳥。全体ぶどう色で翼に白と藍との美しい斑があり、頭は白地に黒色の縦斑がある。国字以外では「懸巣」とも書く。
鳥	鶍	いすか	アトリ科の小鳥。スズメよりやや大きく、雄は暗紅色、雌は緑黄色。日本には秋ごろ来る。国字以外では「交喙」とも書く。
鳥	鶎	きくいただき	ヒタキ科ウグイス亜科の小鳥。メジロより小さく、体の背面は大体暗緑色。雄の頭頂は橙黄色。国字以外では「菊戴」とも書く。
鳥	鶫	つぐみ	ヒタキ科ツグミ亜科の鳥。背面は大体黒褐色で栗色を混じ、顔は黄白色で目の部分に黒斑がある。シベリアなどで繁殖し、秋大群をなして日本に渡来する。猟鳥として重要。

常用漢字表にある国字

働・峠・畑・込

塀・枠・搾・匂

栃・腺

1級に出る 常用漢字表外音訓

常用漢字の1級用の読みと、その用例を示してあります。

◀漢字　◀読み　◀用例

漢字	読み	用例
愛	う(い)	一段愛いやつじゃ
曖	くら(い) おお(う) かげ(る)	遠山は薄く曖い 雲が空を曖う 日が曖る
圧	へ(す)	圧し折る 押し合い圧し合いする
医	いや(す)	病気を医す 医療　医方
彙	はりねずみ あつ(める) たぐい	彙を観察する 業界用語を彙める ガラクタの彙を集める
違	さ(る) よこしま か(い)	(遠ざかる)御位を違らせ給う 違心　非違　違戻 斜違(はすか)い 眼違(まなか)い
逸	はぐ(れる)	一行と逸れる 食い逸れる
因	よすが	嵐を防ぐ因なくては 思い出の因
運	さだめ	つらい運
映	は(やす)	光に映やされて
栄	は(やす)	もて栄やされて
円	まろ(やか)	口当たりの円やかさ 円やかな味
延	は(え)	延え縄漁業 やさしい心延え
煙	けむ	煙に巻く
縁	よすが	身を寄せる縁も無い 亡き人を偲ぶ縁
火	コ	火燵
果	はか	果無い望み 果が行く
禍	まが	禍事　禍禍しい
回	めぐ(らす)	踵(くびす)を回らす 工夫を回らす
開	はだ(かる) はだ(ける)	立ち開かる 着物の前が開ける 大手を開けて追う
楷	のり のっと(る)	社会の楷に従う 古式に楷る
解	ほつ(れる)	縫い目が解れる
諧	かな(う) ととの(う) やわ(らぐ) たわむ(れ)	調べに諧う歌声 声の調子を諧える 太平を諧らぎ楽しむ 諧れを真に受ける
確	しっか(り)	気を確り持つ 彼は確り者だ
割	は(やす)	(切るの忌詞) 野菜を割やす
乾	ひ	乾涸びる 鯵の乾物
患	ゲン	苦患(仏クゲン) 苦しみなやむこと
貫	ぬき ぬ(く)	柱から柱へ貫を通す 玉に貫く楝を家に植えたらば…
堪	たま(る)	かわいくて堪らない 堪りかねて噴き出す
閑	なら(う) ひま	閑習　閑練 音律に閑う 閑暇　閑居
幹	から	幹竹の煙管筒 真っ向より幹竹割りに

漢字	読み	用例
緩	ぬる(い)	風緩く吹きて 手緩いやり方だ
還	また	中原還鹿を逐う 今人還対す落花の風
危	あや(める)	人を危める
岐	ちまた	岐の神（道祖神、さえのかみ） 岐に歌う声
毀	こぼ(つ) やぶ(る) やぶ(れる) そし(る) や(せる)	門と塀を毀つ 身体髪膚を毀る 名誉が毀れる 裏切り者を毀る 心労で毀せる
機	はずみ	事の機 転んだ機に足を折った
宜	むべ	（ほんとうに、なるほど）宜山風を嵐と言うらん
擬	に(る)	擬似 擬古文
去	ゆ(く) のぞ(く)	去来 去歳 去私 去斥 去礙
拠	よりどころ	拠無い事情で遅参した
虚	うつ(ける)	世間には虚けた者がいて… 虚け者
享	あ(たる)	配享（二つのものが相配合してあたること）
仰	あおの(く) の(く)	仰いて倒れる 驚いて仰け反る 仰け様に落ちる
凝	こご(る)	鮒の煮凝り 手凝りて弓を引くに叶わず
曲	まが	曲曲しい心を持つ
菌	たけ	（きのこ）菌蕈 松が根の菌狩り行かば
句	ま(がる)	句欄（こうらん／曲がった手すり）
苦	はなは(だ)	苦だ恨む 苦寒
具	つま	刺身の具
惧	ク おそ(れる)	危ぶみ惧れる
空	うつ(ける)	傾城に心乱せし空け者
屈	くぐ(まる) こご(まる)	地面に屈（くぐ・こご）まる
茎	なかご	刀剣の茎に銘を刻す
経	た(つ)	時間が経つ あれから何年経ったろう
憬	あこが(れる)	先輩に憬れる
結	す(く)	網を結く
倹	つま(しい)	退職後の倹しい暮らし
検	あらた(める)	検視 検比 所持品を検める
献	まつ(る)	捧げ献る
謙	うやうや（しくする）	謙謹 謙敬
限	きり	限を付ける 限のよいところで休む
厳	いか(つい)	厳つい肩
枯	から(びる)	干枯びる
錮	ふさ(ぐ) とじこ(める) かた(い) ながわずら(い)	隙間を錮ぐ 牢屋に錮める 意志が錮い 錮いで床に臥す
互	かたみ(に)	互に言い交わすこともなく

漢字	読み	用例
後	しり	後方（しりえ）にいざる 後込みする
行	や（る）	娘を嫁に行る 軍を行り兵を用いる
効	かい	育てた効がない
紅	もみ	紅裏の羽織 紅返しの下着
控	のぞ（く）	控除 保険料を控く
溝	どぶ	溝板 溝をさらう
衡	くびき	衡を争う 圧制の衡
傲	おご（る） あなど（る） あそ（ぶ）	出世して傲り高ぶる 対戦相手を傲る 親の金で傲び暮らす
谷	ロク	谷蠡（ロクリ　匈奴の部族長の称号）
鎖	さ（す）	掛け金を鎖す 戸を鎖す
才	かど	才ある琴の音 心ばえ才才し
催	もよ（い）	雪催いの空
在	ましま（す）	天に在す神
刹	てら	古都の刹を訪ねる
皿	ベイ	器皿　金皿
蚕	こ	春蚕 たらちねの母が養（か）う蚕の繭ごもり
暫	しば（し）	暫し待て 暫し瞑想にふける
止	さ（す） よ（す）	読み止しの本 書き止す 止せばいいのに
恣	ほしいまま	恣に行動する
摯	と（る） にえ まこと あら（い）	武器を摯る 神前に摯を捧げる 職務に摯を尽くす 性質の摯い鳥
似	ごと（し） そぐ（う）	かくの似し 地位に似わぬ言動 実情に似わぬ対応
式	ああ	式微（シキビ　ああビなり　王室が非常に衰えること）
疾	やま（しい） と（し） と（く）	疾しいことはしていない 思えばいと疾しこの年月 疾うに寝入った 疾っくに済ませた
実	さね	瓜実顔の美人
射	ヤ	射干（ヤカン　ひおうぎ）
朱	あけ	朱を奪う紫 朱に染まる
首	こうべ	首を垂れる
終	しま（う）	仕事を終う 店終い
羞	すす（める） そなえもの は（じる） はずかし（める） はじ はずかし（め）	食事を羞める 祭りの羞を準備する 不明を羞じる 相手を羞める 羞を雪ぐ 羞めを与える
醜	しこ	大君の醜の御楯 醜名
襲	かさね	襲の色目　下襲
獣	しし	獣食った報い 朝狩りに獣踏み起こし…
縦	よし（んば）	縦んば地震が起きてもここなら安全
熟	つくづく	熟と相手の顔をながめた 熟いやになった
瞬	まばた（く） まじろ（ぐ） しばた（く）	瞬く暇に 天には瞬がず ただ目ばかり瞬きけり

漢字	読み	用例
如	も(し)	君子如し怒らば乱すみやかに沮(や)まん
除	の(ける) よ(ける)	机の上の本を除ける 取り除ける 水溜りを除ける 日除けのパラソル
少	まれ	昔帰りしに相識少なり
称	はか(る) あ(げる) かな(う)	兵を称げて内に侮る 称徳 心に称えば足り易し
勝	た(える)	渾(すべ)て簪に勝えざらんと欲す
掌	てのひら	掌を反す
焼	く(べる)	薪を焼べる
粧	めか(す)	粧し込む お粧しして出掛ける
障	ふせ(ぐ)	障扞 障塞
食	は(む)	牛が草を食む 枠から食み出す
植	チ	駢植(ヘンチ 並び馳せる 並び立つ)
心	うら	心悲し 心恥ずかし
伸	の(る)	伸るか反るか
新	さら	真っ新の服 年寄りに新湯は毒
尽	すが(れる)	尽れた菊 声が尽れる
甚	いた(く)	甚く気に入った 甚く悔やんでいる
垂	しだ(れる) しで	垂れ桜 あしひきの山鳥の尾の垂り尾の… 神前に供える垂
崇	シュウ	蘊崇(ウンシュウ・ウンスウ/高く積み上げる)
是	こ(の)	是の故に夫(か)の佞者を悪(にく)む
績	う(む)	麻を績む
折	さだ(める)	折訟 片言以て獄を折む
接	は(ぐ)	つぎ接ぎ 小切れを接いで作る
箋	ふだ はりふだ なふだ ときあ(かし) てがみ かきもの	書物に箋を付ける 意義の箋かし 箋で忙しい
薦	し(く)	薦藉 章甫を沓(くつ)に薦く
然	も(える)	山青くして花然えんと欲す
疎	まば(ら) おろ(か) うろ・おろ	疎らな拍手 財産は疎か命まで奪われた 疎覚え
双	もろ	双共に 双手を挙げて賛成
相	さが	悲しい相 浮世の相
挿	はさ(む) す(げる)	鉛筆を耳に挿む 言葉を挿む 下駄の鼻緒を挿げる
喪	ほろ(びる) ほろ(ぼす)	喪亡 喪滅 天惟(こ)れ殷を喪ぼす 身を喪ぼす
装	よそ(う)	ご飯を装う
槽	かいばおけ ふね	槽櫪 湯槽(ゆぶね) 紙漉槽(かみすきぶね)
踪	シュウ あと あしあと ゆくえ	踪を失う 事件の踪
騒	ざわ(つく) ぞめ(く)	胸が騒つく 浮かれ騒く
側	はた かたわ(ら)	側迷惑 側から見れば 道の側らの地蔵堂

卒	率	堕	怠	択	卓	但	達	端
つい（に）	おおむ（ね）	こぼ（つ）	だる（い）	よ（る）	シツ	ただ	たし	はした
卒に成功した	率ね良好	錐刀を以て泰山を堕つ	足が怠い 間怠っこい話し方	択りに択って 択り取り見取り	卓袱（シッポク）料理	但去って復（また）問うことなかれ	王室御用達	端金 端ない

痴	緻	腸	跳	嘲	陳	痛	抵	帝
し（れる） おこ	こま（かい） くわ（しい）	わた	おど（る）	トウ からか（う）	ひ（ねる）	や（める）	シ う（つ）	タイ
痴れ言（事） 勝利に酔い痴れる	緻かい模様で埋める 緻しい地図を作る	魚の腸抜き	跳躍 跳り上がる	子猿を嘲う	陳ねた大根 陳ねた子ども	頭を痛める	抵掌 掌を抵ちて言う 几を抵つ	帝釈天 隋の煬帝

提	鉄	点	展	転	吐	徒	塗	灯
ひさげ	かね	つ（ける）	ひろ（げる）	こ（ける） くるり	ぬ（かす）	ただ むだ	まぶ（す）	あかし あかり
提に酒を入れる	鉄の草鞋で尋ねる	電気を点ける ガスを点ける	図面を展げる	あわてて転ける 転と方向を変える	何を吐かすか 小言を吐かす	始めは徒歌う 徒死　徒労 徒骨（むだぼね）を折る	小麦粉を塗す	御灯（みあかし）がともる 我が家の灯が見える

倒	盗	頭	洞	童	導	特	貪	鈍
こ（ける）	と（る）	かぶり	うろ	わらわ	しるべ	ひと（り） ひと（つ）	タン よくば（り）	のろ（い）
倒けつ転びつ 泥田にがばと倒け込む	宝石を盗られた	頭を振る 頭する間	大木の洞	引越し間近で大童だ 殿上童	先人の教えを導にする	特出　特祀 特り主に祀る 特舟　特牲	貪夫 貪りな気性	動きが鈍い 鈍鈍運転

丼	タン トン	（井戸に物が落ちる音の形容）
難	にく（い）	書き難いペン やり難い
尿	しと	この宮の御尿に濡るるは…
熱	いき（る） ほとぼり	熱り立つ 人熱れ 草熱れ 事件の熱が冷める
粘	デン	黐粘（チデン／とりもち）
迫	せ（る）	舞台へ迫り出す
縛	いまし（める）	罪人を縛める
肌	はだえ	玉の肌
発	はな（つ）	矢を発つ 発機（いしゆみをはなつこと）
販	ひさ（ぐ）	百里樵を販がず、千里糴を販がず
否	いや	否でも応でも 否というほど
被	かず（ける）	責任を被ける 病気に被けて休む
備	つぶさ（に）	備に説明する 備に見る
標	しる（す） しるべ	記号を標して区別する 地図を標に進む
頻	しき（る）	雨が降り頻る
夫	それ	夫何をか憂え、何をか懼（おそ）れん
訃	つ（げる） し（らせ）	死を訃げる 死去の訃らせ
腐	くさ（す）	そう人を腐すものではない
膚	はだえ	寒風に膚粟立つ
風	ふり	死んだ風 飲みっ風がいい
沸	た（てる） にえ	風呂を沸てる 日本刀の沸
紛	まが（う） まぐ（れ）	紛う方も無い 梅の花散り紛う 気紛れな天気 紛れで合格した
憤	むずか（る）	子どもが憤る
閉	た（てる）	襖の開け閉て 障子を閉てきって…
幣	みてぐら	幣を奉る
弊	つい（える）	希望が弊える 計画が弊える
璧	たま	璧と絹を進物とする
片	ひら	塔の上なる一片の雲 雪の二片三片
便	よすが すなわ（ち）	亡き人を偲ぶ便 学ばざれば便ち老いて衰う
保	も（つ）	天気はどうやら保ちそうだ 夏場は保たない
哺	ふく（む） はぐく（む）	母乳を哺ませる 我が子を哺む
包	くる（む）	赤ちゃんを毛布に包む
奉	まつ（る）	仕え奉る
放	こ（く） さ（く）	うそを放く 天の原振り放け見れば春日なる…
泡	あぶく	泡銭
砲	つつ	轟く砲音

漢字	読み	用例
訪	おとな(う)	親戚の家を訪う
傍	はた わき	傍の人 傍から見るほど楽ではない 傍から口を出す
膨	ふく(よか)	膨よかな面立ち
朴	むち むちう(つ)	敲朴 罪人を朴つ
僕	やつがれ	僕にお申し付けください
撲	は(る)	撲り倒す
末	ま(だ)	末だ終わらない 理由は末だある
眠	ベン	阡眠(センベン)草木の茂るさま
娘	こ	かわいい娘
黙	もだ(す) だんま(り)	慫慂黙しがたく… 歌舞伎の黙り
門	と	明石の門 由良の門をわたる舟人…
約	つま(しい)	約しく暮らす
喩	たと(える) さと(す) やわ(らぐ) よろこ(ぶ)	喩え話 喩し教える
用	もっ(て)	盗言孔(はなは)だ甘し、乱是を用てすすむ
瘍	かさ できもの	頭部の瘍
拉	ラツ ロウ くじ(く) ひし(ぐ) ひしゃ(げる) ひ(く)	拉殺 朽ち木を拉く
来	こ(し)・き(し)	来し方、行く末
絡	から(げる)	荷物を絡げる
辣	から(い) きび(しい) むご(い) すご(い)	ぴりっと辣い料理 辣しい批判に耐える 辣い手段を取る 辣い投手が入団した
欄	おばしま	欄に凭れる 欄に名を記す
離	か(る)	山ほととぎす離れず来むかも
慄	おそ(れる) おのの(く)	君主を慄れる 恐怖に慄く
良	やや	良大きい 良持ち直した
力	りき(む)	力んで持ち上げる
類	に(る)	類型　類字
麗	うら(ら) うら(らか)	春の麗らの隅田川 鶯の麗らかなる音に…

1級に出る四字熟語

四字熟語はその意味を知ることによっていっそう理解が深まります。「四字熟語辞典」や「故事成語辞典」、更には原典に当たって四文字に凝縮された世界を味わってください。

あ

哀毀骨立（あいきこつりつ）
非常な悲しみをいう語。親と死別し、悲しみのために痩せ細る意。

遏悪揚善（あつあくようぜん）
悪事を禁じて善行を勧める意。「遏」は「とどめる」。

蛙鳴蝉噪（あめいせんそう）
蛙や蝉の鳴き声が騒がしいことから、無意味な騒がしさ、転じて無意味な議論や下手な文章にたとえる。

阿諛追従（あゆついしょう）
気に入られようとしておもねり、へつらうこと。

一縷千鈞（いちるせんきん）
非常に危険なことのたとえ。一本の糸で千鈞の重さを支えることから。「鈞」は重さの単位で一鈞は約一・八キログラム。

一気呵成（いっきかせい）
一息に文章を書き上げること。また、物事を中断せず一息に仕上げること。「呵」は息を吹きかけること。凍えた手に息を吹きかけて暖め、一息に完成させる意。

一瀉千里（いっしゃせんり）
物事が速やかにはかどること。「瀉」は水が下へ勢いよく流れること。

夷蛮戎狄（いばんじゅうてき）
中国周辺の異民族の総称。「東夷・南蛮・西戎・北狄」の略で、四方の異民族の称。

萎靡沈滞（いびちんたい）
物事の活気や勢いが衰えてしまうこと。「萎靡」は草木などがなえしぼむこと。

韋編三絶（いへんさんぜつ）
一冊の本を熱心に繰り返し読むこと。古代中国の書物は竹や木を短冊形に切って（竹簡・木簡）なめし革のひも（韋編）で綴じた。「三絶」はその革ひもが何度も切れること。孔子が「易経」を繰り返し読んだ故事から。

慇懃無礼（いんぎんぶれい）
表面はきわめて丁寧であるが、実は尊大で相手を見下げていること。

因循苟且（いんじゅんこうしょ）
古い習慣や方法にこだわって改めず、その場しのぎに終始するさま。「苟且」はかりそめ、一時のがれ。

因循姑息（いんじゅんこそく）
意味は「因循苟且」に同じ。「姑息」はしばらく息をつく意から、一時しのぎのこと。

烏焉魯魚（うえんろぎょ）
文字の字形が似ていて、書き誤ること。

禹行舜趨（うこうしゅんすう）
立派な人の動作（禹の歩き方と舜の走り方）を表面的に真似るだけで、実質の伴わないこと。「禹・舜」は共に古代の聖天子。

右顧左眄（うこさべん）
本来は得意げに左右を見渡す意だったが、他人の評価を気にして決断できずにいること、左右を見てためらい迷うことを意味するようになった。

烏兎匆匆（うとそうそう）
歳月が過ぎ去るのが早いこと。太陽には三本足のからすが住み、月には兎が住んでいるという伝説から、「烏兎」は歳月を指す。

紆余曲折（うよきょくせつ）
道や川などが曲がりくねっていること。事情が込み入って手間取ること。

雲烟縹渺（うんえんひょうびょう）
雲や霞が遠くたなびくさま。「縹渺」は遠くかすかなさま。

郢書燕説（えいしょえんせつ）
こじつけて、もっともらしく説くことのたとえ。「郢」は春秋戦国時代の楚の都。「燕」は国名。

依怙贔屓（えこひいき）
特に一方に肩入れし、公平でないこと。「贔」は「屓」とも書く。

越俎代庖（えっそだいほう）
自分の職分を超えて他人に干渉すること。越権行為のこと。

燕頷投筆（えんがんとうひつ）
文事を捨てて武事をとること。また、遠征の志をたてること。「燕頷」は武勇にすぐれている骨相。

延頸挙踵（えんけいきょしょう）
人や物事の到来を待ち望むこと。また、すぐれた人物の出現を待ち望むこと。

円鑿方枘（えんさくほうぜい）
物事が食い違ってうまく合わないことのたとえ。「円鑿」はのみであけた丸い穴。「方枘」は四角い木の差込み、ほぞ。

偃武修文（えんぶしゅうぶん）
戦争が終わり平和になること。「偃」はふせる、やめるの意。殷を滅ぼした周の武王の故事から。

婉娩聴従（えんべんちょうじゅう）
言葉や態度がしとやかで優しく、目上の人に素直に従うこと。

嘔唖嘲哳（おうあちょうたつ）
音楽などが調子外れで聞き苦しく、かつ洗練されておらずやかましいさま。

枉駕来臨（おうがらいりん）
人の来訪に敬意を示す語。「枉駕」は乗り物の道順を変えて、わざわざ立ち寄る意。

横行闊歩（おうこうかっぽ）
気ままにのし歩くこと。ほしいままに振舞うこと。

枉法徇私（おうほうじゅんし）
法を曲げて私利私欲に走ること。「徇」はしたがう。

か

海市蜃楼（かいししんろう）
蜃気楼のこと。実体がなくうつろなものや、非現実的な考えなどのたとえ。

喙長三尺（かいちょうさんじゃく）
極めて口が達者なこと。「喙」はくちばし。

海底撈月（かいていろうげつ）
実現不可能なことにむだな労力を費やすこと。海面に映った月を、本物の月と思いこんで、掬い上げようとすることから。「撈」は掬い取る意。

偕老同穴（かいろうどうけつ）
「偕老」は共に老いること。「同穴」は同じ墓に入ること。夫婦の仲睦まじいことを意味する。

薤露蒿里（かいろこうり）
人生のはかなさのたとえ。元は挽歌で、「薤露」は王侯貴族の葬儀に、「蒿里」は士大夫・庶民の葬儀に用いられた。

呵呵大笑（かかたいしょう）
大声をあげて笑うこと。

画脂鏤氷（がしろうひょう）
苦労しても効果のないたとえ。油に描き、氷に彫り付ける意から。

隔靴掻痒（かっかそうよう）
十分意が果たせず、もどかしい思いをすること。「靴を隔てて痒きを掻く」と訓読する。

豁然大悟（かつぜんたいご）
迷いがからっと開けるように解けて、真理を悟ること。「豁然」は「かつねん」とも読み、「大」は「だい」とも読む。

苛斂誅求（かれんちゅうきゅう）
税などの取立てが厳しいこと。

檻猿籠鳥（かんえんろうちょう）
自由を束縛されて、不自由な生き方を強いられるたとえ。

侃侃諤諤（かんかんがくがく）
是非善悪を直言するさま。権力に対して遠慮なく正論を述べるさま。

環堵蕭然（かんとしょうぜん）
家が非常に狭く、みすぼらしいさま。「環堵」は四方それぞれ一堵の家の意で、「堵」は約二・五メートルとされるが、諸説ある。

奸佞邪智（かんねいじゃち）
心がねじけており、ずるがしこく立ち回ること。

銜尾相随（かんびそうずい）
前後に連なって一列に進むこと。狭い山道などで、前を行く馬の尾を後の馬がくわえて進むところから。

頑迷固陋（がんめいころう）
かたくなで道理に暗く、見識が狭いこと。また、古いものに頑固に固執すること。

騏驥過隙（ききかげき）
ほんの一瞬の出来事、また時の過ぎ去るのが速いことのたとえ。「騏驥」は一日に千里を走る駿馬。もとは人の命のはかなさをいう語。

旗幟鮮明（きしせんめい）
主義主張や態度が明確なこと。「旗幟」は旗とのぼり。外部に表明された主義主張や態度のたとえ。

鞠躬尽瘁（きっきゅうじんすい）
諸葛孔明の上奏文（後出師表）中にある語。心身を労して国事に専念すること。また、忠誠を全うすること。「鞠躬」は腰を曲げる礼、慎み深い様子。

驥服塩車（きふくえんしゃ）
優れた人物が低い地位に置かれ、つまらない仕事をさせられることのたとえ。一日に千里を走る駿馬が、塩を運ぶ車を引かせられることから。

跫音空谷（きょうおんくうこく）
人気のない谷に聞こえてくる人の足音。寂しく暮らしているところへ人が訪ねてくることのたとえ。うれしい便りのあるたとえ。また、「空谷跫音」ともいう。

狂言綺語（きょうげんきご）
道理を外れた言葉や、表面

だけを飾った言葉。転じて、虚構や文飾の多い小説や戯曲を貶めて言った語。

協心戮力 きょうしんりくりょく
力を合わせ、一致協力して任務に当たること。「戮力協心」ともいう。

狂瀾怒濤 きょうらんどとう
荒れ狂う大波の意から転じて、そのように激動する世の情勢を表す語。

跼天蹐地 きょくてんせきち
身の置き所がないほどびくびく恐れること。「天に跼（きょく）し地に蹐（せき）す」或いは「天に跼（せぐくま）り地に蹐（ぬきあし）す」と読み下す。

曲突徙薪 きょくとつししん
災難を未然に防ぐたとえ。煙突を曲げて火の勢いを弱め、かまどの側にあるたきぎを遠くへ移して、火事を未然に防ぐことから。

毀誉褒貶 きよほうへん
ほめたりけなしたりすること。世間の評判。

金甌無欠 きんおうむけつ
物事が完璧で欠点のないたとえ。特に国家や天子の地位が安泰・堅固で、他国の侵略を受けたことがないこと。少しの傷もない黄金の瓶の意から。

緊褌一番 きんこんいちばん
気持ちを引き締めて事に臨むこと。

琴瑟相和 きんしつそうわ
夫婦や兄弟の仲がよいこと。「琴」は小さい琴で弦が少ないもの、「瑟」は大きい琴で弦の多いもの。「琴瑟相和す」ともいう。

苦心惨憺 くしんさんたん
心をくだいて考え悩み、工夫を凝らすこと。「惨憺」は「惨澹」とも書く。

群蟻附羶 ぐんぎふせん
多くの者が利益を求めて群がって来ることのたとえ。羊の肉に蟻が群がることから。

軽裘肥馬 けいきゅうひば
富貴な人の外出の装い。また、富貴の人。軽くて高価な皮ごろもと、よく肥えた立派な馬の意から。

霓裳羽衣 げいしょうういい
薄絹などで作った、軽く美しい衣裳。元は西域から伝わった舞曲の名という。

軽佻浮薄 けいちょうふはく
考えや行動が軽はずみでうわついているさま。

結跏趺坐 けっかふざ
左右の足の甲を反対の足の腿の上に交差し、足の裏が上を向くように組む仏教の座法のひとつ。禅宗における座禅の正しい姿勢。

狷介孤高 けんかいここう
頑固で協調性に乏しく、人と相容れないさま。「狷」は意を曲げないこと、「介」はよろいのように硬いこと。

喧喧囂囂 けんけんごうごう
多くの人が口やかましくさわぐさま。「侃侃諤諤」と混同し、「喧喧諤諤」と誤って用いることがあるが要注意。

蹇蹇匪躬 けんけんひきゅう
自分のことは二の次にして人のために尽くすこと。また、心を悩み苦しめて忠義を尽くすこと。

拳拳服膺 けんけんふくよう
常に心に留めて忘れないこと。「拳拳」は大切に両手で捧げ持つこと、「服膺」は胸につけることから、よく心に留めること。

乾坤一擲 けんこんいってき
運を天にまかせて、のるかそるかの大勝負をすること。「乾」は易の八卦のひとつで天を、「坤」は地を象徴する。「一擲」は一回骰を投げること。

阮籍青眼 げんせきせいがん
自分の気に入った人を迎えること。「阮籍」は竹林の七賢の一人。世俗的な儒教道徳を嫌い、それを信奉する人たちを白眼視した。「青眼」は黒目のことで、親しい人に対しては正視するので黒い瞳になるのでこういう。

肩摩轂撃 けんまこくげき
往来の混雑するたとえ。人の肩と肩が触れ合い、車のこしき（轂）がぶつかり合うこと。

牽攣乖隔 けんれんかいかく
心は引かれ合いながら、遠く隔たっていること。

後悔噬臍 こうかいぜいせい
後で悔やんでももう遅いこと。「臍（ほぞ）を噬（か）む」という成句がある。

曠日弥久 こうじつびきゅう
むなしく月日を費やして、長い時間を経ること。「日を曠（むな）しくして久しきに弥（わた）る」と読む。

嚆矢濫觴 こうしらんしょう
物事のはじめ。「嚆矢」は戦闘を始める合図に用いる鏑矢。揚子江のような大河も源は觴（さかずき）にあふれるほどわずかな細流であることから。

狡兎三窟 こうとさんくつ
身の安全のために多くの避難場所やさまざまな策を用

意するたとえ。難を逃れるのに巧みであることのたとえ。すばしこい兎は三つの隠れ穴を持って危険から身を守ることから。

好評嘖嘖（こうひょうさくさく）
非常に評判の良いさま。「嘖嘖」は口々にうわさすること。

光風霽月（こうふうせいげつ）
心が澄み切ってわだかまりがなく、爽やかなこと。「霽」は晴れる意。

槁木死灰（こうぼくしかい）
生気がなく、意欲に乏しいこと。また、無為自然の境地にいること。「槁木」は枯れ木。

毫毛斧柯（ごうもうふか）
災いの種は小さいうちに取り除いておかなければならないということのたとえ。「毫毛」は細い毛で草木の芽生えのたとえ。「斧柯」は斧の柄。早いうちに除いておかないと、やがて斧で切り倒すほど大きくなってしまうという意。

狐裘羔袖（こきゅうこうしゅう）
全体から見ればりっぱだが、一部に少し難があること。高価な狐のかわごろもだが、袖だけ安価な羊の皮が使ってあるところから。

さ

才気煥発（さいきかんぱつ）
優れた才能があふれていること。「煥発」は光り輝いて外に現れること。

載籍浩瀚（さいせきこうかん）
たいへん多くの書物があること。「浩瀚」は書物・文献の多いことをいう語。

鑿壁偸光（さくへきとうこう）
貧しい暮らしのなかで勉学に励むこと。壁に穴を開け、隣家の灯をぬすんで学問に励む意から。

讒諂面諛（ざんてんめんゆ）
悪口を言って人を陥れたり、面と向かってこびへつらったりすること。

尸位素餐（しいそさん）
高位にありながら職責を果たさず、むだに禄をはんでいること。「尸位」は人が形代になり、神の身代わりとしてまつられる場所に居ることで、何もせず高位にあることのたとえ。

舳艫千里（じくろせんり）
船団が長く連なり進むこと。「舳」は船首、「艫」は船尾。或いはその逆。

舐痔得車（しじとくしゃ）
卑しいことをしてまで人にこびへつらい、利益を得るたとえ。

獅子搏兎（ししはくと）
簡単なことでも全力を挙げて取り組むべきだという意味。ライオンは兎のような弱いものを捕らえるにも全力を出すという意味。

七縦七擒（しちしょうしちきん）
相手を思うままに制御し、心服させること。「縦」は放つ、「擒」は捕らえる。「七擒七縦」ともいう。

日月逾邁（じつげつゆまい）
月日が過ぎ去ること。また、時が過ぎ去り、年老いていくこと。

叱咤激励（しったげきれい）
大声でしかり、励まして奮い立たせること。

疾風勁草（しっぷうけいそう）
強風の中でも折れずにいる強い草の意から、逆境や苦難の中にあって、はじめてその人の真価が分かることのたとえ。

櫛風沐雨（しっぷうもくう）
風雨にさらされながら苦労を重ねることのたとえ。吹く風に髪をくしけずり、降る雨で体を洗う意。

揣摩臆測（しまおくそく）
当て推量をすること。「揣摩」も「臆測」も推し量る意。

鵲巣鳩居（じゃくそうきゅうきょ）
労せずして他人の成功や地位を横取りするたとえ。鳩は巣作りが下手なので、それの上手なかささぎの巣に住みつき卵を産む意から。「鵲巣鳩占」「鳩居鵲巣」ともいう。

奢侈淫佚（しゃしいんいつ）
度を越えた贅沢をし、みだらな楽しみにふけること。

洒洒落落（しゃしゃらくらく）
さっぱりとして物事にとらわれないさま。「灑灑落落」とも書き、「さいさいらくらく」とも読む。

煮豆燃萁（しゃとうねんき）
兄弟仲が悪いことのたとえ。「萁」は豆殻。兄弟を同じ根から生じた豆と豆殻にたとえ、互いに苦しめ合うことをいう。

羞花閉月（しゅうかへいげつ）
美人のすぐれた容姿の形容。あまりの美しさに花も羞じらい、月も羞じらって隠れてしまう意から。

聚蚊成雷（しゅうぶんせいらい）
微小なものでも、集まると大きな力になることのたとえ。「聚」は集まる。

酒甕飯嚢（しゅおうはんのう）
ただ飯を食うだけ酒を飲む

だけで、徒に生きている無能な人を罵っていう語。「酒嚢飯袋」ともいう。

夙夜夢寐（しゅくやむび）
一日中。また、寝ても覚めても思い続けること。「夙夜」は早朝から夜更けまで、「夢寐」は寝ている間のこと。

珠襦玉匣（しゅじゅぎょっこう）
美しいもののたとえ。珠玉を縫い合わせた短衣と、珠玉で飾った箱で、もと高貴な人の葬送に用いた。

朱脣皓歯（しゅしんこうし）
美人の形容。紅いくちびると白い歯。「脣」は「唇」とも書く。

春寒料峭（しゅんかんりょうしょう）
春になって寒さがぶり返し、肌寒さを感じること。「料」は肌をなで触れる意。

蓴羹鱸膾（じゅんこうろかい）
故郷を懐かしく思うこと。中国晋代の張翰が、故郷の料理である蓴菜の吸い物とすずきのなますを懐かしむあまり、官を辞して帰郷した故事から。

春風駘蕩（しゅんぷうたいとう）
のどかな春の景色。また、温和でのんびりした人柄のこと。

笙磬同音（しょうけいどうおん）
楽器それぞれが調和して美しい音楽を奏でることから転じて、人が心を合わせて仲良くすること。

焦頭爛額（しょうとうらんがく）
根本を忘れ、瑣末なことを重視するたとえ。「焦頭爛額を上客となす」の略で、火災の予防を考えた者は評価されず、火事が起きてから消火に当たった者だけが賞されることから。

嘯風弄月（しょうふうろうげつ）
自然に親しみ、風流を楽しむこと。風に吹かれて詩歌を口ずさみ、月を愛でる意。

蜀犬吠日（しょくけんはいじつ）
見識の狭い者が分かりもしないのに優れた人物を非難するたとえ。蜀（現在の四川省）は地形上、雨や霧の日が多く晴れた日が少ないので、たまに太陽が出ると、犬は怪しみ吠えるということから。

持粱歯肥（じりょうしひ）
ご馳走を食べること。「粱」は大粟、上等な穀物。「歯肥」は肥えた肉を食べること。

緇林杏壇（しりんきょうだん）
学問を教える場のこと。孔子がここで道を講じたという。「緇林」は「緇帷」ともいい、木が黒いとばりのように生い茂っている林。

砥礪切磋（しれいせっさ）
学問などに努め励むこと。

眥裂髪指（しれつはっし）
激しい怒りの形相。「眥裂」は目をきっと見開くこと。「髪指」は怒りで髪の毛が逆立つこと。

心広体胖（しんこうたいはん）
心がのびのび広く、体もゆったりと落ち着いたさま。

脣歯輔車（しんしほしゃ）
利害関係が相互に密接であることのたとえ。「輔車」はほお骨と下あごの骨。また、車の添え木と車とする説など諸説ある。「脣」は「唇」とも書く。

晨星落落（しんせいらくらく）
次第に仲の良い友人が減っていくこと。また、年が経つにつれて友人が死んでいなくなること。「晨星」は夜明けの空に残っている星。

炊金饌玉（すいきんせんぎょく）
非常に贅沢な食事のこと。黄金を炊き、玉を膳に並べる意から。

翠帳紅閨（すいちょうこうけい）
貴婦人の寝室のこと。「翠帳」はかわせみの美しい羽で飾ったとばり。

水天髣髴（すいてんほうふつ）
遥かな海上の空と海が接するところは、どこまでが空でどこまでが海かはっきりしないこと。「髣髴」は「彷彿」とも書き、ぼんやりしてはっきりしないさま。

酔歩蹣跚（すいほまんさん）
酒に酔い、よろめきながら歩くさま。「蹣跚」は「ばんさん」とも読む。

寸草春暉（すんそうしゅんき）
父母の大きな恩・愛情に対して、わずかでも報いることができないというたとえ。「寸草」はわずかに伸びた若草。親の恩に報いようとする子の気持ちのたとえ。「春暉」は春の暖かい日差し。子に対する親の愛情のたとえ。

臍下丹田（せいかたんでん）
へそのすぐ下あたりのところ。漢方医学ではここに意識を集中すると、健康を維持でき、力が湧いてくるという。

星火燎原（せいかりょうげん）
初めは小さな勢力でも放っておくと次第に大きくなって手が付けられなくなるということ。「星火」は星のように小さな火。「燎原」は原野を焼くこと。

精励恪勤（せいれいかっきん）
学業や仕事に対し、力を尽くして懸命に努めること。「恪勤精励」ともいう。

切歯扼腕 せっしやくわん
激しく意気込み、怒りをあらわにする様子。また、非常に悔しがる様子。「切歯」は歯軋り。「扼腕」は「搤腕」とも書き、片袖を捲り上げて腕を握り締めること。

浅斟低唱 せんしんていしょう
程よく酒を飲みながら、詩歌を口ずさんで楽しむこと。「浅酌低唱」ともいう。

泉石膏肓 せんせきこうこう
病み付きになるほど自然を愛し、その中で暮らすこと。「膏」は心臓の下、「肓」は横隔膜の上の隠れた部分。共に身体の最深部で治療しにくい所。「病膏肓に入る」という成句で知られる。

扇枕温衾 せんちんおんきん
親孝行のたとえ。夏は枕元にいて扇で風を送り、冬は自分の体温で夜具を温めておく意から。

瞻望咨嗟 せんぼうしさ
高貴の人を敬慕しつつ、ため息をついて羨むこと。

滄海桑田 そうかいそうでん
「滄海変じて桑田と為る」の略で、世の中の移り変わりの激しいことを意味する。「滄桑之変」「桑田滄海」「桑田碧海」ともいう。

造次顛沛 ぞうじてんぱい
少しの間。とっさの場合。「造次」は慌ただしいとき。「顛沛」はつまずき倒れるような危険な場合の意で、そのような僅かな間のこと。

漱石枕流 そうせきちんりゅう
負け惜しみの強いこと。強情を張ること。「石を枕とし、流れで口すすぐような自然のままの暮らしをしたい」と言うところを、誤って逆に言ってしまったが、「石で口すすぐのは歯磨きのため、流れに枕するのは俗事で穢れた耳を洗うため」と強情にこじつけて誤りを認めなかった。夏目漱石の号はこの故事に基づく。

桑土綢繆 そうどちゅうびゅう
災難を未然に防ぐため準備すること。「桑土」は桑の根。鳥が風雨の前に桑の根で巣穴を繕うことから。

草満囹圄 そうまんれいご
「草囹圄に満つ」と読み、善政がしかれて犯罪の少ないことをいう。「囹圄」は牢獄のこと。使われないので草が生い茂ってしまったという意。「圄」は「ぎょ」とも読む。

草廬三顧 そうろさんこ
心から礼を尽くして、優れた人材を迎えること。三国時代に、蜀の劉備が諸葛孔明を軍師として迎えた故事から。「三顧之礼」ともいう。

率先躬行 そっせんきゅうこう
人に先立って、自ら物事を行うこと。

樽俎折衝 そんそせっしょう
平和的に交渉し、相手の攻勢をかわして自国を有利に導くこと。「樽」は酒樽、「俎」は肉料理をのせる台。宴会のご馳走のこと。

た

大廈高楼 たいかこうろう
大きく高い建物。豪壮な建物。また、それらが建ち並んでいるさま。

頽堕委靡 たいだいび
体力・気力などが、崩れ落ちるように徐々に衰えること。

袒裼裸裎 たんせきらてい
衣服を脱ぎ、裸になること。甚だ無礼な振る舞い。

蟄居屛息 ちっきょへいそく
家に閉じこもり、息をひそめて隠れていること。謹慎すること。江戸時代に武士・公家に科した刑罰。

魑魅魍魎 ちみもうりょう
「魑魅」は山中の化け物、「魍魎」は水中の化け物。山や川の気から生じるさまざまな化け物のこと。また、悪人のたとえとしていう。

彫心鏤骨 ちょうしんるこつ
たいへん苦労すること。苦労して詩文などを作り上げること。心に彫りつけ、骨に刻み込む意から。「鏤骨」は「ろうこつ」とも読む。

彫虫篆刻 ちょうちゅうてんこく
文章を作るのに細かい技巧を凝らして字句を飾ること。転じて、取るに足らない小細工のこと。「彫」は「雕」とも書く。

喋喋喃喃 ちょうちょうなんなん
男女が睦まじく語り合うさま。また、小声で親しそうに語り合うさま。

雕梁画棟 ちょうりょうがとう
華やかな彫刻を施した梁と、美しい絵が描かれた棟木。豪華で美しい建物のこと。

跳梁跋扈 ちょうりょうばっこ
ほしいままに行動すること。悪人などがのさばるさま。

直截簡明 ちょくせつかんめい
回りくどくなく、簡潔で分かり易いこと。

枕戈待旦 ちんかたいたん
常に怠らず戦いに備えるさま。「戈(ほこ)を枕にして旦(あした)を待つ」と読む。

定省温清 ていせいおんせい
親に孝養を尽くすこと。「定」は夜具を整え、安眠できるよう配慮すること。「省」はご機嫌伺いをすること。「温凊」は、冬は暖かく、夏は涼しく、快適に過ごせるよう心配りをすること。「温凊定省」ともいう。

天空海闊 てんくうかいかつ
海や空が限りなく広がっていることから、人の度量が大きく、わだかまりのないことのたとえ。「海闊天空」ともいう。

天真爛漫 てんしんらんまん
飾らない自然のままの姿が輝き出るさま。

霑体塗足 てんたいとそく
辛い労働のさま。体をぬらし、足を泥まみれにして野良仕事をすることから。

輾転反側 てんてんはんそく
心配事や悩み事があって眠れず、何度も寝返りをうつこと。

天罰覿面 てんばつてきめん
悪事を働くと、その報いとしてたちどころに天の下す罰にあうこと。

恫疑虚喝 どうぎきょかつ
内心びくびくしながら虚勢を張って、相手をおどすこと。

騰蛟起鳳 とうこうきほう
才能豊かで、溢れるほどの文才があること。「蛟」は龍の一種で、みずち。

蹈常襲故 とうじょうしゅうこ
従来のやり方を受け継いで、その通りに物事を行うこと。

銅牆鉄壁 どうしょうてっぺき
堅固な守りのこと。また、どのようにしても壊すことのできないもののたとえ。

銅駝荊棘 どうだけいきょく
国の滅亡を嘆くこと。晋代の索靖という人が、都の宮門にある銅製の駱駝が荒れ果てたいばらの中に埋もれるのを見るのは辛いことだと予知し嘆いた故事から。

掉棒打星 とうぼうだせい
棒を振り回して、星を打ち落とそうとすることから、非現実的なことに無駄な努力を払うこと。また、目的を果たせず、もどかしい思いをすること。

稲麻竹葦 とうまちくい
多くの人や物が群がっていること。また、幾重にも取り囲まれていること。稲・麻・竹・葦が群生している様子から。

桃李成蹊 とうりせいけい
徳のある人物、優れた人物のもとには、何もしなくとも自然に人が集まってくることのたとえ。「桃李言わざれども下自(おの)ずから蹊を成す」という。

兎起鶻落 ときこつらく
書画や文章に勢いのあることのたとえ。巣穴から素早く飛び出す兎、獲物を目掛けて急降下する隼の様子から。

得隴望蜀 とくろうぼうしょく
隴（今の甘粛省）を得て、さらに蜀（今の四川省）を手に入れたいと望むこと。欲望の尽きないたとえ。「隴を得て蜀を望む」と読み下す。

斗筲之人 としょうのひと
器量の小さい取るに足らない人物のこと。「斗」は一斗枡、「筲」は一斗二升が入る竹の籠。

吐哺握髪 とほあくはつ
人材を求めるのに熱心なさま。人が訪ねてきたら、洗髪中なら濡れた髪を握ったまま、食事中なら口に含んだ食物を吐き出して面会するという意。「握髪吐哺」ともいう。

斗量帚掃 とりょうそうそう
枡で量り、ほうきで掃いて捨てるほど有り余っていること、また、その程度の人。自分のことを謙遜していう。

な

南橘北枳 なんきつほくき
境遇の変化によって人の気質が変わることのたとえ。「枳」はからたち。南方の橘を北方に移植すると、からたちに変わってしまうという意味。

南蛮鴃舌 なんばんげきぜつ
やかましいだけで意味不明の言葉。意味の通じない外国人の言葉を卑しんでこう言った。「鴃舌」はもずの鳴き声で、悪声を意味する。

肉山脯林 にくざんほりん
ぜいたくを極めた宴会のこと。山・林はたくさんあることのたとえ。「肉」は生肉、「脯」は干し肉で共にぜいたくな食品。

拈華微笑 ねんげみしょう
言葉を用いず、心から心へ伝えること。「以心伝心」に同じ。釈迦が説法の中で、一本の花をひねって見せたが、弟子の中で迦葉だけがその意味を悟ったという故事から。

は

杯盤狼藉 はいばんろうぜき
杯や皿が散らかった宴席の乱れたありさま。「狼藉」は、狼が寝た後、下に敷いた草が乱れている様子をいう。

白衣蒼狗 はくいそうく
世の中の変化が早いことの

たとえ。空に浮かぶ雲の形は、白い衣に見えたかと思うと、たちまち蒼い犬のような形に変化するという意。

博引旁証 はくいんぼうしょう
多くの例を挙げ、証拠を示して論ずること。

八面玲瓏 はちめんれいろう
どこから見ても透き通って曇りのないさま。心にわだかまりがなく、澄み切っているさま。

八面六臂 はちめんろっぴ
多方面で目覚しい活躍をすること。また、一人で何人分もの働きをすること。「三面六臂」ともいう。

撥乱反正 はつらんはんせい
乱世を治めて秩序正しい世の中に戻すこと。「撥」は治める意。

爬羅剔抉 はらてきけつ
隠れている優れた人材を探し出して用いること。また、人の欠点を暴き出すこと。「爬」は爪でかき集める、「羅」は網で捕らえる、「剔」「抉」はえぐる。「はらてっけつ」とも読む。

罵詈讒謗 ばりざんぼう
口汚くののしり、そしること。

跛立箕坐 はりゅうきざ
無作法・無礼なさま。「跛立」は片足で立つこと、「箕坐」は開いた両足を突き出して坐ること。

繁文縟礼 はんぶんじょくれい
礼儀作法や規則などが細かく、煩わしいこと。

攀竜附驥 はんりゅうふき
勢力のある人物に付き従って出世しようとするたとえ。「攀竜附鳳」ともいう。

卑躬屈節 ひきゅうくっせつ
人にへつらって、自分の主義・主張を曲げること。

比肩随踵 ひけんずいしょう
次々と絶え間なく続くさま。「比肩」は肩と肩が触れ合うこと、「随踵」は踵と踵がくっつくこと。共に人が多い様子。

飛絮漂花 ひじょひょうか
女性が辛い境遇に身を落とし、頼りとするものもなく苦労するさま。「飛絮」は風に飛ぶ柳花（柳のわた）。

被髪纓冠 ひはつえいかん
非常に急いで行動すること。髪を振り乱したまま束ねずに、冠の紐を結ぶことから。

百折不撓 ひゃくせつふとう
何回失敗しても挫けないこと。意志の固いこと。「不撓」はたわまない、挫けない。

百花繚乱 ひゃっかりょうらん
いろいろな花が咲き乱れること。優れた人材が輩出し、学問や芸術などが盛行することのたとえ。「繚乱」は「撩乱」とも書く。

剽疾軽悍 ひょうしつけいかん
動作がすばしこくて、気が強いこと。

猫鼠同眠 びょうそどうみん
上役と下役が共謀して悪事を働くことのたとえ。

牝牡驪黄 ひんぼりこう
外見にとらわれず、本質を見抜くことが大切であることのたとえ。「驪黄」は黒色と黄色。名馬を探しに行った者から黄色い雌馬を見つけたと報告があった。ところが実際に連れてきた馬は黒い牡馬であった。馬の性別や色さえ見分けられないのかと非難されたが、その馬は間違いなく名馬であったという故事から。

風声鶴唳 ふうせいかくれい
僅かな物音にもびくびくして恐れるたとえ。「風声」は風の音、「鶴唳」は鶴の鳴き声。怖気づいていると、何でもない物音でも敵の来襲に聞こえてしまうことをいう。

巫雲蜀雨 ふうんしょくう
遠く離れている夫婦が、お互いを思いやること。巫山（四川省にある山）の雲と蜀に降る雨の意から。

不羈奔放 ふきほんぽう
何者にも束縛されず、思い通りに振舞うこと。「羈」はつなぐこと。

俛首帖耳 ふしゅちょうじ
人にこびへつらう卑しい様子。憐れみを乞う様子。「俛首」はうつむく、「帖耳」は犬が飼い主に服従するように、耳を垂れること。

不撓不屈 ふとうふくつ
強い意志を持って、どんな苦労にもくじけないこと。「百折不撓」に同じ。

敝衣蓬髪 へいいほうはつ
破れたぼろぼろの衣服と、よもぎのように乱れた髪。身なりに構わないこと。「敝衣」は「弊衣」とも書く。

秉燭夜遊 へいしょくやゆう
人生ははかないのだから、機会を逃さず楽しもうということ。「秉」は取る。夜に明かりをともして、遊び楽しむ意から。

兵馬倥偬 へいばこうそう
戦乱で慌しいこと。「倥偬」は忙しいさま。

霹靂閃電 へきれきせんでん
勢いがあって素早いことのたとえ。「霹靂」は突然激しく鳴る雷。

冒雨剪韭 ぼうう せんきゅう
友人の来訪を喜んでもてなすたとえ。「雨を冒して韭（にら）を剪（き）る」と読み、にらを摘んでご馳走を作る意から。

茅屋采椽 ぼうおく さいてん
質素な家のこと。自分の家を謙遜していう。「茅屋」は茅葺の家、「采椽」は山から切り出したままのたるき。

暴虎馮河 ぼうこ ひょうが
命知らずの無謀な行為。「暴虎」は素手で虎に立ち向かうこと。「馮河」は大河を歩いて渡ること。どちらも血気にはやった向こう見ずな行動。

放辟邪侈 ほうへき じゃし
勝手気ままによこしまな行為をすること。

北轅適楚 ほくえん てきそ
志と行動が相反するたとえ。「轅（ながえ）を北にして楚に適（ゆ）く」と読み下す。「轅」は車のかじ棒。「楚」は南方の国。

墨痕淋漓 ぼっこん りんり
墨のあとが生き生きとして瑞々しいさま。「淋漓」は水や汗、血などが滴り落ちること。

奔放不羈 ほんぽう ふき
何ものにも拘束されず、思い通りに振舞うこと。「自由奔放」に同じ。「不羈奔放」ともいう。

ま

麻姑掻痒 まこ そうよう
物事が思い通りに運ぶこと。また、世話がよく行き届くこと。「麻姑」は伝説上の仙女。爪が鳥の爪のように長かったという。その長い爪で背中の痒いところを掻かせたら気持ちが良かろうという意から。

摩頂放踵 まちょう ほうしょう
頭の先から足のかかとまですり減らすほど、自分を顧みず人のために尽くすこと。

満身創痍 まんしん そうい
体中が傷だらけの様子。また、非難を浴びて痛めつけられるさま。

万目睚眥 まんもく がいさい
多くの人に睨まれ、自分の居場所がなくなること。「睚」も「眥」も共に「まなじり、にらむ」の意味がある。「万」は「ばん」とも読む。

無慙無愧 むざん むき
悪事を働いても恥じることなく、平然としていること。「慙」も「愧」も共に恥じること。

銘肌鏤骨 めいき るこつ
深く心に刻み付けて忘れないこと。「肌に銘じ骨に鏤（きざ）む」と読む。「鏤骨」は「ろうこつ」とも読む。

明窓浄几 めいそう じょうき
明るく清潔な書斎の形容。「几」は机と同じ。

面折廷諍 めんせつ ていそう
君主の面前で、君主の徳や政治について臆することなく論争し諫めること。「諍」は「争」とも書く。

沐浴抒溷 もくよく じょこん
湯水を使って身を清め、汚れを払うこと。「抒」は除く、「溷」は汚れの意。

や

夜雨対牀 やう たいしょう
兄弟や友人の親しさをいう。夜、雨の音を聞きながら、寝台を並べて仲良く寝る意から。

勇気凛凛 ゆうき りんりん
勇敢に物事に立ち向かうさま。「凛凛」は盛んな勇気を表す語、りりしいさま。

融通無礙 ゆうずう むげ
考え方や行動が何の妨げもなく、自由で伸び伸びしていること。「無礙」は「無碍」とも書く。

優游涵泳 ゆうゆう かんえい
ゆったりとした心持で学問や芸術に浸り、味わうこと。「游」は「遊」とも書く。

余韻嫋嫋 よいん じょうじょう
音が鳴り止んだ後のかすかな残響。それが細く長く続く様子。詩文の言外の趣や、事後の風情のたとえとしても使う。

妖姿媚態 ようし びたい
なまめかしく美しい姿。また、そのような美しさで人にこびるさま。

瑶林瓊樹 ようりん けいじゅ
気品があり優れているさま。「瑶」も「瓊」も共に美玉。優れて美しいもの、高潔なものにたとえる。

薏苡明珠 よくい めいしゅ
いわれのない誹謗中傷を受けること。事実無根の嫌疑をかけられること。「薏苡」は鳩麦。薬用・滋養食品。現在のベトナム北部から大きい鳩麦の実を馬車に積んで持ち帰った人が、財宝を積んできたと誤解を受けた故事から。

余裕綽綽 よゆう しゃくしゃく
焦らずゆったりとして、こせつかないさま。

ら

雷陳膠漆 らいちん こうしつ
極めて厚い友情のこと。「雷」は雷義、「陳」は陳重、共に中国後漢の人。「膠漆」はにかわとうるしで、接着剤として用いる。

磊磊落落 らいらいらくらく
心が大きく、小事にこだわらないさま。「磊落」のそれぞれの語を重ねて、意味を強調したもの。

落英繽紛 らくえいひんぷん
花びらがはらはらと散り乱れるさま。

落穽下石 らくせいかせき
人の弱みにつけこんで、さらに痛めつけること。「穽」は落とし穴。落とし穴に落ちた人に、上から石を投げる意から。

蘭摧玉折 らんさいぎょくせつ
優れた人・美しい人がその能力や魅力を発揮しないまま世を去ること。

鸞翔鳳集 らんしょうほうしゅう
優れた人材が集まり来るたとえ。「鸞」は鳳凰に似た鳥で、鳳凰と共に霊鳥。

六韜三略 りくとうさんりゃく
中国の有名な兵法書。「六韜」は周の太公望呂尚の作、「三略」は前漢王朝創立時の功臣張良の師である黄石公の作とされる。

戮力同心 りくりょくどうしん
「戮力」は協力。力を合わせ、心をひとつにして事に当たること。「同心戮力」「協心戮力」に同じ。

流汗淋漓 りゅうかんりんり
全身に汗をしたたらすさま。

流言蜚語 りゅうげんひご
根拠のないうわさ。無責任な言い触らし。「蜚語」は「飛語」とも書く。

流觴曲水 りゅうしょうきょくすい
屈曲した小川に杯（觴）を浮かべ、それが自分の席に流れ着く前に詩歌を作り、杯の酒を飲むという風雅な遊び。曲水の宴。陰暦三月三日（上巳の日）に行われた。「曲水流觴」ともいう。

竜驤虎視 りょうじょうこし
天下統一をねらって意気盛んなさま。「驤」は躍り上がる。「竜」は「りゅう」とも読む。

竜攘虎搏 りょうじょうこはく
力の伯仲した英雄同士・強豪同士が激しく闘うこと。「攘」はうちはらう、「搏」は殴る。「竜」は「りゅう」とも読む。

竜頭鷁首 りょうとうげきしゅ
大きく立派な船。天子や貴人の乗る船。二隻一対で、一方は舳に竜の頭を、もう一方は鷁の首の形を彫刻したもの。「竜」は「りゅう」とも読み、「鷁首」は「げきす」とも読む。

竜蟠虎踞 りょうばんこきょ
強大な者がある地域に居座って、他を威圧する勢力を形成すること。「蟠踞」でうずくまる意。「竜」は「りゅう」とも読む。

霖雨蒼生 りんうそうせい
苦しんでいる人々に救いの手を差し伸べること。「霖雨」は三日以上降り続く恵みの雨。「蒼生」は人民。

輪奐一新 りんかんいっしん
新しくて大きく立派な建物。「輪」は高大な、「奐」はあざやかなさま。

琳琅満目 りんろうまんもく
美しい宝玉が目の前に満ち溢れていること。美しいもの、よいものが満ち溢れているたとえ。「琳琅」は美玉。

縷縷綿綿 るるめんめん
話が延延と長く続き、くどくどしいさま。

藜杖韋帯 れいじょういたい
清貧の生活。またそのように生きる人。あかざの杖となめし革の帯の意で、共に粗末な品。

聯袂辞職 れんべいじしょく
大勢の者が一致団結して職を辞すること。「聯」は「連」とも書く。

螻蟻潰堤 ろうぎかいてい
ほんの小さなことが、大きな事故や事件の原因となること。「螻蟻」はけらとあり。小さな虫が掘った小さな穴が、堤防を壊してしまうことにもなるという意から。

老驥伏櫪 ろうきふくれき
年老いてもなお大志を失わないこと。また、能力ある人がそれを発揮できずに年老いてしまうことのたとえとしても用いられる。「驥」は一日に千里をゆく駿馬。「櫪」は馬小屋を意味する。

魯魚亥豕 ろぎょがいし
文字の書き誤り。字形の似た字を写し誤ること。

驢鳴犬吠 ろめいけんばい
つまらない文章や意見のたとえ。ろばの鳴き声や犬の吠え声のように、耳を傾けるほどではないという意から。

わ

矮子看戯 わいしかんぎ
見識がなく、むやみに他に同調すること。背の低い人が芝居の舞台の様子が見えぬのに、周りの人が批評するのを聞いて、それと同じことを言うという意から。

和気藹藹 わきあいあい
和やかな気分が満ち溢れているさま。「藹藹」は「靄靄」とも書く。

和羹塩梅 わこうあんばい
君主を補佐して、国をうまく治める有能な宰相・大臣のこと。「和羹」はいろいろな材料・調味料を使って味を調えた吸い物、「塩梅」は塩と調味に使う梅酢。

本書記載の情報は制作時点のものです。受検をお考えの方は、必ずご自身で下記の公益財団法人 日本漢字能力検定協会の発表する最新情報をご確認ください。

公益財団法人 日本漢字能力検定協会
【ホームページ】 https://www.kanken.or.jp/
<本部> 京都市東山区祇園町南側 551 番地
ホームページにある「よくある質問」を読んで該当する質問がみつからなければメールフォームでお問合せください。電話でのお問合せ窓口は 0120－509－315（無料）です。

◆「漢検」「漢字検定」は公益財団法人 日本漢字能力検定協会の登録商標です。

本書に関する正誤等の最新情報は、下記のアドレスでご確認ください。
https://www.seibidoshuppan.co.jp/info/honshi-kanken1-2411

◉ 上記アドレスに掲載されていない箇所で、正誤についてお気づきの場合は、書名・質問事項・氏名・住所（または FAX 番号）を明記の上、**成美堂出版**まで**郵送**または **FAX** でお問い合わせください。**お電話でのお問い合わせはお受けできません。**
◉ 本書の内容を超える質問等にはお答えできませんので、あらかじめご了承ください。また、受検指導などは行っておりません。
◉ ご質問の到着確認後 10 日前後で、回答を普通郵便または FAX で発送いたします。
◉ ご質問の受付期限は、2025 年 10 月末日到着分までといたします。ご了承ください。

よくあるお問い合わせ

Q **持っている辞書に掲載されている読みと、本書に掲載されている読みが違いますが、どちらが正解でしょうか？**

A 辞書によっては、準１級・１級用漢字や常用漢字の表外の読みが異なることがあります。**漢検の採点基準では、「漢検要覧１／準１級対応」(日本漢字能力検定協会発行）で示しているものを正解としています**ので、本書もこの基準に従っています。そのため、お持ちの辞書と読みが異なることがあります。
また、準１級・１級用漢字のなかには、標準字体のほかに正解となる許容字体があります。本書では標準字体のみ掲載しており、許容字体は**「漢検要覧１／準１級対応」（日本漢字能力検定協会発行）**で詳しく参照することが出来ます。

Q **持っている辞書に掲載されている故事・成語が本書に掲載されているものと異なりますが、どちらが正解でしょうか。**

A 故事・成語については、辞書によって読み方や表現が異なる場合がありますが、本書では、過去に実際の試験で出題されたものをもとに掲載しています。

本試験型 漢字検定1級試験問題集 '25年版

2024年12月1日発行

編　著　成美堂出版編集部
発行者　深見公子
発行所　成美堂出版
〒162-8445 東京都新宿区新小川町1-7
電話(03)5206-8151 FAX(03)5206-8159
印　刷　大盛印刷株式会社

ISBN978-4-415-23906-4
落丁･乱丁などの不良本はお取り替えします
定価はカバーに表示してあります

本 試 験 型

漢字検定 試験問題集

'25年版

解答・解説

1

級

●解答の漢字は「標準字体」とした。「標準字体」以外の「許容字体」については、1級の採点基準（本冊 P.14）および、『漢検要覧1級／準1級対応』（公益財団法人　日本漢字能力検定協会）を参照されたい。
●解答が複数ある場合は、そのうちのどれか一つを書いてあれば正解。二つ以上の答えを書いた場合は、それらがすべて合っていないと正解にならない。
●踊り字（々）は、正しく使われていれば正解。
●グレーの漢字や（　）内のひらがなは、解答の補足となるものや、送りがなを示す。

◀ 矢印方向に引くと別冊の解答・解説が外れます。

成美堂出版

第1回 テスト 解答・解説

問題は本冊 P18～23

(一) 読み

グレーの部分は送りがなです　各1点 計30点

1 きおう
2 けんてき
3 こんばい
4 かいしゅ
5 きゅうじょ
6 あいこん
7 こうこう
8 べきべき
9 がとう
10 へんち
11 おうさ
12 いちれん
13 そほん
14 そくろう
15 きょうかん
16 けんち
17 いんそく
18 りゅうせつ
19 きげん
20 いっしゅう
21 かりそめ
22 ふしづけ
23 にわたずみ
24 くど(い)
25 や(め)
26 けぬき
27 ほしいまま
28 くさぎ(る)
29 おそ(われ)
30 うすづ(き)

5 諸楽器の吹奏が一斉に始まること。
7 眼が冴えて眠れないさま。
12 一切れ、「一鑊(いっかく)」は一つの釜。
16 「壎」は土笛、「篪」は竹笛。両者相和する意。
18 すすって食べること。
28 雑草を除くこと。

(二) 書き取り

グレーの部分は送りがなです　各2点 計40点

1 佇立
2 橇・艝・轌
3 噺(し)
4 槿・木槿・蕣・舜
5 瓩・瓩々・砼・砼々
6 錚錚・錚々
7 祟(って)
8 俘虜
9 抛・擲(って)
10 標榜
11 琹
12 韋駄天・韋陀天
13 瓮・缸・甕・罌
14 櫝
15 獅子吼
16 酣・闌
17 賛襄
18 驂乗
19 簎
20 褜

6 人物が優れていること。もとは「鉄中の錚錚」といって凡人の中で少しは優れていること。
13 小さい口とふくらんだ胴を持つかめ。
18 貴人の車に同乗する従者。

(三) 語選択・書き取り

各2点 計10点

1 吝嗇・悋嗇
2 容喙
3 峻拒
4 瑕瑾
5 阿諛

(四) 四字熟語

グレーの部分は解答の補足です

問1　各2点／計20点

1 綢繆牖戸
2 駢拇枝指
3 影駭響震
4 鞦韆院落
5 伊尹負鼎
6 嫗伏孕鬻
7 多銭善賈
8 蚤寝晏起
9 鬱肉漏脯
10 海内殷富

1 前もって準備し、災害を未然に防ぐたとえ。
2 無用なもののたとえ。くっついた指と枝分かれした指。
3 ちょっとした影や音にひどく驚き恐れること。
4 ぶらんこのある中庭。
5 大望を果たすために身を落とすたとえ。「伊尹」は人名。
6 鳥獣が子を産み育てること。「嫗伏」は翼で卵を温める意。
7 周到な準備があれば事は成り易い。類「長袖善舞」
8 早く寝て遅く起きること。「蚤」は「早」と同じ意。
9 腐った肉や干し肉で一時的に腹を満たすこと。
10 国家が富み栄えること。「海内」は国家の意。

問2　各2点／計10点

1 ゆしょう
2 しちゅう
3 せきへき
4 そてき
5 ちょうちゅう

(五) 熟字訓・当て字

各1点 計10点

1 やまぶき ふき
2 やまかがし
3 ザボン
4 ギリシャ
5 さいかち
6 ひいらぎ
7 しゃこ
8 つゆくさ
9 かね おはぐろ
10 ピアノ

2 水辺や水田周辺にすむヘビ。有毒。
5 マメ科落葉高木。枝や幹にとげがある。
6 モクセイ科常緑高木。柊(ひいらぎ)。「枸榾」とも書く。
8 露草に同じ。
9 歯を黒く染めること。既婚女性の印。

(六) 熟語の読み・一字訓読み

各1点 計10点

グレーの部分は送りがなです

ア 1 よぶん 2 あ(きる)
イ 3 ひと 4 おお(きい)
ウ 5 じょうせい 6 かさ(なる)
エ 7 とうかい 8 かく(す)
オ 9 えいり 10 するど(い)

1 飽きるほど聞くこと。
3 大きなはかりごと。
5 世々。代々。
9 鋭利に同じ。

(七) 対義語・類義語

各2点 計20点

グレーの部分は問題の熟語です

1 露骨⇔婉曲
2 浄土⇔穢土
3 曖昧⇔截然
4 静謐⇔噪聒
5 寡黙⇔饒舌
6 黒白＝鴉鷺
7 僅少＝寸毫
8 教導＝木鐸
9 墓地＝塋域
10 散策＝逍遥

1 遠回しに表現すること。
2 汚れた現世のこと。
3 区別がはっきりしていること。
6 カラスとサギ。「烏鷺」ともいう。
7 きわめてわずかなこと。
8 世の人を覚醒させ、教え導くもの。「社会の木鐸」

(八) 故事・諺

各2点／計20点

1 閻魔
2 鎹
3 鑿
4 霹靂
5 朧
6 邯鄲
7 鋏
8 竹帛
9 久闊
10 微醺

2 材木などをつなぐための両端が曲がった釘。転じてふたつのものをつなぎ合わせるもの。
4 雷鳴。
6 中国河北省の都市の名。
8 竹の札と白い絹。紙の無い時代はこれに字を書いた。
9 久しく会わないこと。
10 ほろ酔いのこと。

(九) 文章題

グレーの部分は送りがなです

書き取り 各2点／計20点

1 豁然
2 一碧
3 穹窿
4 可憐
5 萎・凋(まざる)
6 褪(せざる)
7 無辜
8 翰林院
9 謦咳
10 恐懼

読み 各1点 計10点

ア ねっとう ねつどう
イ しんしん
ウ しとね
エ たまもの
オ むか(え)
カ まみ(えたる)
キ ぎょくかい
ク こうし
ケ らんけん
コ きえん

8 ここではアカデミー・フランセーズのこと。
9 「謦咳に接する」は、お目にかかること。
ア 大勢の人で混雑して騒がしいこと。また、賑やかなこと。
イ ずきずき痛むこと。
ク くちばしが黄色い。年若く未熟なこと。

(一) 読み

グレーの部分は送りがなです　各1点 計30点

1 だいこ
2 ひょうじん
3 ねいかつ
4 じゅんきょ
5 りりょう／りりゅう
6 てんかん
7 ねっとう／ねつどう
8 せんし
9 ひはく
10 よし
11 きき
12 とうてつ
13 いよ
14 せんきん
15 てんとう

16 こつとつ
17 ちだつ
18 けんゆう
19 えんり
20 せんどう
21 ひさ（ぐ）
22 ことごと（く）
23 もた（れ）
24 せめ（ぎ）
25 ひもろぎ
26 たかつき
27 うな（され）
28 き（り）
29 ある（いは）
30 あこめ

1 飢えた虎。危険なもののたとえ。
2 風に吹き飛ばされるちり。
10 あきるほど酒食をたまわること。
13「ああ」という感動の声。
19 下級の官吏。
25 祭りに供えるあぶり肉。

(二) 書き取り

グレーの部分は送りがなです　各2点 計40点

1 梅霖
2 閂
3 無聊
4 蝌蚪
5 出涸（らし）
6 聳立
7 艀
8 耄碌
9 膾炙
10 稟議

11 餡蜜
12 饐（えた）
13 臈
14 鋺・金鋺
15 淙淙・淙々
16 勁悍
17 挂冠
18 髻鬟
19 膵
20 扨

3 何もすることがなくて退屈なさま。
4 書体がお玉杓子に似た中国の古代文字。
13「臈長けた」は美しくて気品があること。
14 金属製の椀。

(三) 語選択・書き取り

各2点 計10点

1 俘虜
2 凛冽・凜烈
3 揶揄・邪揄
4 雅馴
5 貽訓

(四) 四字熟語

グレーの部分は解答の補足です

問1　各2点／計20点

1 蹉跎歳月
2 蟷臂当車
3 伏寇在側
4 三豕渉河
5 藕断糸連
6 陶朱猗頓
7 一箭双雕
8 長江天塹
9 年災月殃
10 含英咀華

1 大切な時間をむだにして空しく過ごすこと。
2 弱者が自分の力をわきまえず強者に立ち向かうたとえ。
3 常に身辺に注意を払い、言動は慎重にすべきであること。
4 文字や伝聞の誤りのたとえ。
5 関係が完全に断ち切れていないことのたとえ。
6 二人の大金持ちの名から、莫大な財産のこと。
7 ひとつの行為で二つの利益を得ること。「雕」は鷲。
8 揚子江は天然の堀であり要害であるということ。
9 しばしば災難に遭うこと。また最も不幸な日のこと。
10 すぐれた文章をよくかみしめ味わうこと。

問2　各2点／計10点

1 いこう
2 きゅうえん
3 べんし
4 せんれん
5 れいしゅ

問題は本冊 P24～29

(五) 熟字訓・当て字 各1点 計10点

1 そよご
2 いたどり
3 やぶこうじ
4 よめな
5 シンガポール
6 うこぎ
7 ちゃぼ
8 たつき
9 むかご・ぬかご
10 もんどり

1 山地に自生する常緑低木。葉は染料になる。
6 ウコギ科落葉低木。枝に鋭い棘がある。
9 ヤマノイモなどの葉の付け根に生じる珠芽。

(六) 熟語の読み・一字訓読み 各1点 計10点

グレーの部分は送りがなです

ア 1 いんせき 2 お(ちる)
イ 3 さたん 4 はだぬ(ぐ)・かたぬ(ぐ)
ウ 5 あつうん 6 と・とど(める)
エ 7 ていねい 8 ねんご(ろ)
オ 9 けげん・かいが 10 いぶか(る)

3 衣の左肩を脱ぐこと。味方することの意思表示。
5 空行く雲を止める意。すばらしい音楽を「遏雲の曲」といった故事から。

(七) 対義語・類義語 各2点 計20点

グレーの部分は問題の熟語です

1 仰望⇔俯瞰
2 少食⇔健啖
3 賢明⇔魯鈍・鹵鈍
4 良貨⇔鐚銭
5 感謝⇔怨嗟
6 格闘＝搏戦
7 出兵＝出師
8 予測＝逆睹・逆覩
9 微官＝胥吏
10 秋空＝旻天

3 おろかで頭の回転が遅いこと。
6 組打ちして戦うこと。
7 軍隊を繰り出すこと。「師」は軍隊。諸葛孔明の「出師の表」は有名。
8 ものごとの結末を予見すること。「げきと」とも読む。
9 下級役人。小役人。
10 「旻」だけでも秋空の意味がある。「秋旻」ともいう。

(八) 故事・諺 各2点／計20点

1 姮娥
2 孑孑
3 巫山
4 施行
5 覆車
6 大廈
7 赤手
8 霍乱・癨乱
9 二豎
10 驕奢

1 月に住むと言われる美女。
2 「けつけつ」とも読む。
3 中国四川省にある山。「巫山の夢」は男女が情を交わす意。
6 大きな家。
7 素手。「障う」は支える意。
8 吐き下しを伴う暑気あたり。日射病。
9 病気の化身である二人の童子。

(九) 文章題

グレーの部分は送りがなです

書き取り 各2点／計20点

1 羹
2 羈旅・羇旅
3 滄桑・桑滄
4 恍惚
5 逍遥
6 陋劣
7 嫋嫋・嫋々
8 万籟
9 屠(られ)
10 荼毘

読み 各1点 計10点

ア りゅうぼう
イ しょくせん
ウ しかのみならず
エ くんせい
オ く(う)
カ じんかん
キ ただ(に)
ク と(じ)
ケ いずく(んぞ)
コ くだ(け)

1 野菜・肉入りのこくのあるスープ。
3 「滄桑の変」は時勢の大きな変動を表すたとえ。
8 万物のひびき。
ア 流民のこと。
イ 食べ物。めし。
エ においの強い野菜や生臭い肉の料理のこと。
カ 俗界のこと。
ケ 疑問・反語の意を表す語。

第3回 テスト 解答・解説

問題は本冊 P30~35

(一) 読み

グレーの部分は送りがなです　各1点 計30点

1 そうぎょう
2 てんし
3 へいへい
4 れいぎょ
　れいご
5 がいあん
6 きょくれい
7 くんしゅう
8 ろえい
9 しゅつえん
10 せんぎ
11 ちょうちゅう
12 せったん
13 ほうしょう
14 せんか
15 いけつ
16 きぼう
17 こうぼう
18 しょうり
19 かいけい
20 げつ
21 ふ(せて)
22 すす(って)
23 たるき
24 しころ
25 むちう(つ)
26 おご(り)
27 く(り)
28 たかむら
29 ぬた
30 き(り)

2 雨にぬれ、水たまりの中に漬かること。
8 喪屋のこと。
12 機嫌をとって上手く何かをさせること。
13 長寿者と夭折者。
20 ひこばえのこと。
24 首の保護のため左右・後方に垂れている部分。

(二) 書き取り

グレーの部分は送りがなです　各2点 計40点

1 俑
2 襤褸・襤縷
3 渾身
4 末裔
5 尨・尨犬
6 天譴
7 騙(った)
8 襞・褶・摺
9 覿面
10 竄入
11 信憑
12 蕕蕢・葦蕢・葦簾
13 誂(え)
14 鐓
15 筆誅
16 匹儔
17 鯊・沙魚
18 櫨
19 榀
20 衙

1 死者にそえて埋葬する人形(ひとがた)。
10 註や書き込みの文字が誤って本文の中に入ること。
16 仲間のこと。

(三) 語選択・書き取り

各2点 計10点

1 杞憂
2 膺懲
3 巨擘
4 輜重
5 駐紮・駐箚

(四) 四字熟語

グレーの部分は解答の補足です

問1　各2点／計20点

1 嗇夫口弁
2 黜陟幽明
3 蓼虫忘辛
4 竹苞松茂
5 曠世不羈
6 蓋瓦級甎
7 胡漢陵轢
8 寸草春暉
9 喜躍抃舞
10 勇邁卓犖

1 身分は低いが口の達者な男のこと。
2 賢愚や功績の有無を見分けて人材を評価すること。
3 「蓼(たで)(葉がとても辛い)食う虫も好き好き」と同じ意。
4 新築家屋の完成を祝う語。「竹苞」は強固な基礎を表す。
5 長く服従させることや拘束することができない意。
6 屋根瓦と、階段の敷き瓦のこと。
7 北方や西方の異民族と漢族が互いに争い合うこと。
8 父母の深い愛情に、子が僅かでも報いることは難しい。
9 喜びの余り手を打って踊ること。
10 勇敢で器量にすぐれ、衆に擢んでて優秀なこと。

問2　各2点／計10点

1 しゅうよう
2 ちょうき
3 そげん
4 しゅうさん
5 しゅんぐ

(五) 熟字訓・当て字

各1点 計10点

1 らっこ
2 かます
3 ひるがお
4 ぼうふら ぼうふり
5 あおみどろ
6 チベット
7 ゆきのした
8 ささげ ささぎ
9 からさお からざお
10 ゆげい

1 イタチ科哺乳動物。「猟虎」とも書く。
7 ユキノシタ科多年草。葉は火傷などの手当てに用いられる。
8 マメ科一年生植物。さやと種子が食用。
9 イネなどを脱穀する農具。
10 靫(うつぼ。矢入れ)を負って禁裏を守る役目の者。

(六) 熟語の読み・一字訓読み

各1点 計10点

グレーの部分は送りがなです

ア 1 ちょういつ 2 みなぎ(る)
イ 3 きょくこう 4 すみ(やか)
ウ 5 しょうし 6 こころ(みる)
エ 7 こうかつ 8 わるがしこ(い)
オ 9 しょうか 10 け(す)

3 速く行くこと。
9 夏の暑さをしのぐこと。消夏。避暑。

(七) 対義語・類義語

各2点 計20点

グレーの部分は問題の熟語です

1 過疎⇔稠密・綢密
2 昂然⇔悄然
3 愚直⇔老獪
4 清酒⇔濁醪
5 肥満⇔瘠痩
6 窮極＝畢竟
7 脅迫＝恫喝・恫愒
8 供奉＝扈従
9 激浪＝怒濤
10 崩御＝晏駕

1 多く集まっていること。
3 世故にたけて、ずるがしこいこと。
4 にごり酒。
5 「瘠」も「痩」もやせていること。
6 結局のところ。
8 「こじゅう」とも読む。
9 類「狂瀾」
10 天子の柩を乗せた車が日暮れてから出発することから。

(八) 故事・諺

グレーの部分は送りがなです 各2点／計20点

1 水潦
2 捏(ねる)
3 撓(まず)
4 南柯
5 騎虎
6 一樽
7 琴瑟
8 俄雨
9 牛蒡
10 豺狼・犲狼

4 南に差し出た枝。「南柯の夢」ははかないことのたとえ。
7 「瑟」は大形の琴。琴と合奏するとよく調和するので、夫婦仲の良さにたとえる。「琴瑟相和す」
8 すぐやむので「女の腕捲り」と共に怖くないもののたとえ。

(九) 文章題

グレーの部分は送りがなです

書き取り 各2点／計20点

1 巡邏
2 屹立
3 徘徊
4 癇癪
5 鬢
6 梵天
7 鍔・鐔
8 熹微
9 駘蕩
10 羽觴

読み 各1点 計10点

ア きんちょく
イ お(べり)
ウ いまし(む)
エ くんしゅう
オ くちまた
カ ていしょく
キ ちょっと
ク さぞ
ケ ずいあい
コ そうそう ぞくぞく

5 耳ぎわの髪の毛。
6 「梵天帯」は仲間(武家に仕える男)が締める綿を芯にした帯。
8 光がかすかなこと。
9 春ののどかなさま。
10 雀が羽を広げた形のさかずき。
ア 慎み深いこと。
エ 寄り集まること。
コ 群がり集まるさま。

問題は本冊P36~41

(一) 読み

グレーの部分は送りがなです　各1点 計30点

1 わんこく
2 こうごう
3 へいれい
4 れい
5 えいり
6 しゅくきゅう
7 てきえん
8 へんたく
9 えんおう
10 げんいく
11 しゅうへき
12 せんご
13 ゆうすい
14 ようげき
15 ちがい
16 とうしゃ
17 こふ
18 へいすい
19 てんしょう
20 ほういん
21 たぎ(る)
22 さか(ん)
23 しか(る)
24 ふ(んで)
25 そぎいた
26 ひか(える)
27 ほこ(れば)
28 せぐくま(り)
29 うるお(す)
30 あきご

1 水路陸路の集まる要所。また、そこを抑えること。
3 まさきのかずら。「女蘿」はひかげのかずら。
8 官位を下げ、遠方に流すこと。
17 相手の意に反すること。
20 手ですくって飲むこと。

(二) 書き取り

グレーの部分は送りがなです　各2点 計40点

1 皚皚
2 砌
3 俚耳
4 逸(れた)
5 欺瞞
6 笊
7 睥睨
8 眼窩
9 盂蘭盆
10 嘶(く)
11 猩猩緋
12 薺
13 猿臂
14 拵(えた)
15 漲(る)
16 孵(った)
17 松濤
18 檣頭
19 粨
20 鮨

1 雪などで一面白く見えるさま。
3 世間一般の人の耳。
13 「猿臂を伸ばす」は腕を長く伸ばすこと。
17 松風の音を波の音にたとえた語。

(三) 語選択・書き取り

各2点 計10点

1 乾坤
2 翠巒
3 簒弑
4 陋巷
5 鞅掌

(四) 四字熟語

グレーの部分は解答の補足です

問1　各2点/計20点

1 弄璋之喜
2 越梟楚乙
3 荊釵布裙
4 熙熙壌壌
5 敲氷求火
6 天宇地廬
7 安然無恙
8 菜圃麦隴
9 一門数竈
10 帰真反璞

1 男児誕生の喜び。その祝詞に用いられる言葉。
2 言葉は土地や人によって異なるたとえ。
3 茨のかんざしと麻布のもすそ。女性のつましい服装。
4 大勢の人が活気に溢れ賑やかに往来するさま。
5 見当外れの方法では目的は達せられないことのたとえ。
6 天地、世界。「天宇」は天空、天下。「地廬」は大地。
7 心配事も病気に罹ることもなく、平穏無事なこと。
8 野菜畑と麦畑のこと。
9 同居していながら生計を別にしている一家。
10 自然なままの純朴な状態に戻ること。

問2　各2点/計10点

1 ひょうこつ
2 りんしょく
3 めいり
4 せきそう
5 とどく

(五) 熟字訓・当て字

各1点 計10点

1 いいだこ
2 あいじゃくり
3 まんさく
4 いかなご
5 もっこく
6 あかしで
7 あわび
8 うず
9 エジプト
10 おもだか

2 板を接ぎ合わせる方法。
8 古代、木の枝や造花などを髪や冠に挿して飾りにしたもの。
10 水田や池沼に自生する多年草。図案化して紋所に用いる。

(六) 熟語の読み・一字訓読み

各1点 計10点

グレーの部分は送りがなです

ア 1 びそく 2 や(める)
イ 3 しせい 4 つかさど(る)
ウ 5 けんしょう 6 かか(げる)
エ 7 そうけつ 8 すす(る)
オ 9 くんかい 10 おし(え)

1 「息」にも「やめる」の意味がある。
5 衣の裾をからげること。
7 血をすすって誓うこと。いわゆる血盟。

(七) 対義語・類義語

各2点 計20点

グレーの部分は問題の熟語です

1 恭謙⇔驕慢
2 直行⇔迂回・迂廻・紆回・紆廻
3 山麓⇔山巓・山顚
4 祝福⇔呪詛
5 能弁⇔訥弁
6 嘲笑＝嗤笑・蚩笑
7 長雨＝霖雨
8 敬老＝尚歯
9 佳境＝蔗境
10 遠近＝遐邇

7 秋の長雨を「秋霖」、梅雨を「梅霖」という。
8 「尚」はたっとぶ。「歯」は年齢。
9 「蔗」はさとうきび。根元に近づくにつれ甘くなることから、物語などがだんだん面白くなること。

(八) 故事・諺

グレーの部分は送りがなです

各2点／計20点

1 倚門
2 俛(す)
3 玉斧
4 一簣
5 刮目
6 端倪
7 勁草
8 刎頸
9 恢恢・恢々
10 麟角

1 門に寄りかかること。帰りを待ち侘びる意味で使われる。
3 斧の美称。「玉斧を乞う」は詩や文章の添削を頼むこと。
5 目をこすってよく見ること。
6 推し測ること。
7 「勁草」は風に強い草。節操・意志の堅固なことのたとえに用いられる。
10 麒麟の角。稀なもののたとえ。

(九) 文章題

グレーの部分は送りがなです

書き取り

各2点／計20点

1 闊達・豁達
2 猜疑
3 佞臣
4 寵
5 讒謗
6 下瞰
7 縹渺・縹緲
8 濛昧
9 贅弁
10 嫌忌

読み

各1点 計10点

ア ふげき
イ は(ずかしい)
ウ きょうし
エ うんうん
オ かんい
カ そしょく
キ しふ さいみ
ク きょひ
ケ お(しま)
コ しかのみならず

3 口先がうまく、こびへつらう家来。
8 深くたちこめているさま。
9 余計な言葉。むだぐち。
ア 女のみこと男のみこ。
オ 洗った衣。
カ 粗末な食事。
キ 織り目の粗い麻布。
コ それだけでなく。

第5回 テスト 解答・解説

問題は本冊 P42~47

(一) 読み

グレーの部分は送りがなです　各1点 計30点

1 そうれい
2 せんめい
3 れい
4 ほうさん
5 たんしゅん
6 ろうこう
7 かいこう
8 こうめい
9 ばくえん
10 えいきょく
11 こうじ
12 けいけい
13 かいき
14 はくじょう
15 たんし
16 じょすい
17 えんたく
18 ひしょく
19 こんりょう
20 じょうそん
21 おうご
22 さいな(む)
23 めぐ(る)
24 むしば
25 ふく(み)
26 みずかき
27 もた(げる)
28 と(かし)
29 し(く)
30 はなむけ

8 天子の命令のことば。
11 琴を打ちやめる音。
15 鋭いすき。
19 天子の衣。「袞竜の袖に隠る」は、臣下が天子の権威の陰に隠れて勝手に振る舞うこと。
21 荷物をかつぐ棒。てんびん棒。

(二) 書き取り

グレーの部分は送りがなです　各2点 計40点

1 嶄然
2 縋(る)
3 絨毯・絨緞
4 憔悴
5 傅(く)
6 篩
7 躱(す)
8 簪・釵・鈿
9 綽綽・綽々
10 淅瀝
11 忝・辱(い)
12 鴟尾・鵄尾・蚩尾
13 濟濟・濟々
14 縦(んば)
15 粽
16 頤使・頤指
17 移徙
18 懿旨
19 縅
20 鰰・鱩

1 飛びぬけてすぐれていること。
10 風雨や落ち葉などの寂しげな音。
14「縦んば」はたとえ、仮にそうでもの意。
18 皇后や皇太后の指示。

(三) 語選択・書き取り

各2点 計10点

1 佯狂・陽狂
2 塹壕
3 社稷
4 枉駕
5 参差

(四) 四字熟語

グレーの部分は解答の補足です

問1　各2点／計20点

1 白茶赤火
2 断爛朝報
3 転彎抹角
4 彗氾画塗
5 鬼瞰之禍
6 無余涅槃
7 張王李趙
8 栄枯休咎
9 擠陥讒誣
10 朮羹艾酒

問2　各2点／計10点

1 せいせつ
2 ときょ
3 たんぱく
4 こうはく
5 かんぷ

1 一面の白い花、広がる赤い火のように軍を展開すること。
2 ぼろぼろに破れ、切れて欠落のある朝廷の記録。
3 曲がりくねった道、転じて回りくどいこと。
4 水たまりを箒で掃くように物事が極めて容易なこと。
5 満ち足りて驕り高ぶれば災いが下る。「鬼」は鬼神。
6 残り無く全ての煩悩を断ち切り悟りの境地に入ること。
7 ごくありふれた平凡な人々。どれも中国のありふれた姓。
8 世の中の繁栄と衰退、禍福。「休咎」は幸いと禍い。
9 悪意をもって人を陥れ、偽りを言い立ててそしること。
10 端午の節句に作ったもちあわの吸い物とよもぎの酒。

(五) 熟字訓・当て字 各1点 計10点

1 いそぎんちゃく
2 ぐみ
3 うかみ
4 ハンブルク
5 はげいとう
6 にきたえ
7 いちはつ
8 てんとうむし
9 いちこ
10 ひおうぎ

2 グミ科の植物の総称。果実は赤く熟し、食用。「胡頽子」とも書く。
6 織目の精緻な布の総称。また、打って柔らかくしてさらした布。
9 死者の霊を自分に乗り移らせ、その思いを語る女性。口寄せ。

(六) 熟語の読み・一字訓読み 各1点 計10点

グレーの部分は送りがなです

ア 1 あんこう 2 あか(い)
イ 3 かいれい 4 そむ(く)
ウ 5 ひえき 6 たす(ける)
エ 7 いんい 8 つつし(む)
オ 9 こうせい 10 ひか(える)

1 赤黒い色。この場合は「あん」と読む。
3 道理にそむくこと。
5 助けとなること。
7 おそれつつしむこと。

(七) 対義語・類義語 各2点 計20点

グレーの部分は問題の熟語です

1 微笑⇔哄笑
2 遠慮⇔狎昵
3 宥恕⇔誚責
4 重病⇔微恙
5 親切⇔邪慳・邪険
6 美人＝別嬪
7 青空＝碧落
8 懸隔＝逕庭・径庭
9 高官＝縉紳
10 一瞬＝咄嗟

1 大声で笑うこと。
2 遠慮がなくなること。
3 「誚」にとがめる、なじるの意味がある。
4 軽い病気。
7 青空。大空。
8 「逕」は小道、「庭」は広場で、大きなへだたりの意。
9 高位高官の人。

(八) 故事・諺 各2点／計20点

1 頭足
2 嘴・觜
3 阿吽
4 喇叭
5 薫蕕
6 藁苞
7 反哺
8 傾蓋
9 垤
10 拙誠

2 口ばしのこと。
3 吐く息と吸う息。
5 香草と臭草。君子と小人のこと。
6 藁包みのこと。
7 食物を口移しして養うこと。
8 車に付いているかさを傾けて車を止めること。
10 拙くとも誠意ある言動。

(九) 文章題 グレーの部分は送りがなです

書き取り 各2点／計20点

1 饒足
2 湛湛・湛々
3 島嶼・嶋嶼
4 屹然
5 跋渉
6 眈眈・眈々
7 収攬
8 卓犖
9 閫門
10 爪牙・蚤牙

読み 各1点 計10点

ア しゅうしゅう
イ いくにゅう
ウ しょくちょう
エ はる(か)
オ せんかん せんえん
カ みずか(ら)
キ さんし
ク げいし
ケ ふぐう
コ ぶんらん びんらん

1 十分に満ち足りていること。
2 水を深くたたえているさま。
6 にらんで狙っているさま。
8 非常にすぐれていること。
イ 水が湾入していること。
オ 水の流れるさま。また、その音。
ク にらむように見ること。
ケ 険要の地で身構えること。

第6回 テスト 解答・解説

問題は本冊 P48~53

(一) 読み

グレーの部分は送りがなです　各1点 計30点

1 えんう
2 えんり
3 ふぎょう
4 りょうじょう
5 ぼくれつ
6 へいき
7 ふふつ ほふつ
8 せんしょく
9 ようしょう
10 ひちょう
11 ゆうあく
12 ろうぼう
13 きょうきょう
14 ほうしょ
15 おあつ
16 そうせつ
17 けんえん
18 けんち
19 ほうろう
20 ばとう
21 えびら
22 えだち
23 ここ
24 あかざ
25 ひのし
26 は(るかさん)
27 し(いて)
28 つまだ(てて)
29 く(れ)
30 か(し)

10 祭祀に用いる匙と香り酒。
15 泥でふさがること。
17 満足すること。「慊」には満足と不満足、両方の意味がある。
19 小さい丘。
20 馬の腹帯のこと。
22 国家が徴用し土木工事などに従事させること。

(二) 書き取り

グレーの部分は送りがなです　各2点 計40点

1 怫然
2 斟酌
3 滲(み)
4 鏤(め)
5 僭称
6 焜炉
7 箍
8 滂沱
9 沽券・估券
10 炯炯・炯々
11 竦(む)
12 悍馬・駻馬
13 暈(して)
14 噦(り)
15 盥沐
16 緘黙・箝黙
17 鞘
18 莢
19 裃
20 枡

5 臣下でありながら上の身分を称すること。
10 眼つきが鋭いさま。
15 入浴。湯浴み。
16 口をとざし何も話さないこと。

(三) 語選択・書き取り

各2点 計10点

1 冤枉
2 哂笑
3 奠都
4 謳歌
5 均霑・均沾

(四) 四字熟語

グレーの部分は解答の補足です

問1 各2点/計20点

1 篳路藍縷
2 涓埃之功
3 懸鶉楽道
4 布韈青鞋
5 攀轅臥轍
6 委肉虎蹊
7 千巌万壑
8 一夕九徙
9 寤寐思服
10 落花啼鳥

問2 各2点/計10点

1 しんい
2 かんかく
3 ふか
4 りくりょく
5 ぜいし

1 苦労して物事を始めるたとえ。また、倹約して生活すること。
2 極めて小さな功労のこと。「涓」は水のしずく。
3 清貧に甘んじ、道を楽しむたとえ。「懸鶉」は貧しい衣服。
4 布の脚絆とわらじ。旅の装い。
5 すぐれた地方官の留任を切望し、引き留めること。
6 虎の通る道に肉を捨てる。みすみす災いを招くたとえ。
7 多くの岩山や深い谷。それらが険しく続くさま。
8 一晩に何度も居所を変えるため、所在不明となること。
9 寝ても覚めても心に思って忘れないこと。
10 散る花と鳴く鳥。自然の風流な味わい。

(五) 熟字訓・当て字

各1点 計10点

1 はくうんぼく
2 ベルギー
3 あみ
4 ちりけ
5 かめむし くさがめ
6 あしたば
7 よりまし
8 つばき
9 ひわ
10 たたき

4 灸をすえる点のひとつ。
5 カメムシ科昆虫の総称。農作物の害虫。
6 セリ科多年草。葉と茎は食用。
7 祈禱師が招き寄せた神霊を乗り移らせる童子。
10 台所や玄関の土間。

(六) 熟語の読み・一字訓読み

グレーの部分は送りがなです 各1点 計10点

ア 1 しょうほん 2 うつ(す)
イ 3 そうやく 4 たが(う)
ウ 5 かいめい 6 こ(う)
エ 7 せきがく 8 おお(きい)
オ 9 ふうゆ 10 ほの(めかす)

1 必要な部分だけ写した本、書類。「抄本」とも書く。
3 違約のこと。
5 命乞いのこと。
7 大学者。

(七) 対義語・類義語

グレーの部分は問題の熟語です 各2点 計20点

1 喬木⇔灌木
2 怠惰⇔恪励
3 不換⇔兌換
4 先導⇔跟随
5 強健⇔羸弱
6 疲労＝困憊
7 親近＝昵懇
8 忿怒＝瞋恚
9 兵火＝兵燹
10 軍船＝艨艟

1 低い木。「喬木」は高い木。
2 まじめに励むこと。
3 紙幣を正貨と引き換えること。
4 後からついていくこと。
5 体が弱いこと。疲労で衰弱すること。
7 遠慮のいらない親しい間柄。「入魂」とも書く。
8 「しんに」とも読む。
10 軍艦のこと。

(八) 故事・諺

グレーの部分は送りがなです 各2点／計20点

1 頤
2 駑馬
3 駟
4 韓信
5 鞦
6 鬻・粥・販(ぐ)
7 飄風・飆風
8 韋編
9 首枷・頸枷
10 虹霓

2 足ののろい馬。
3 速度の速い四頭立て馬車。
4 前漢の武将の名。
5 馬の尻から鞍にかける紐。
7 つむじ風。
8 なめし革の紐で竹簡を綴じた昔の書物。

(九) 文章題

グレーの部分は送りがなです

書き取り 各2点／計20点

1 聽(て)
2 咳・謦
3 扨・偖・扠
4 聳(えて)
5 迚(も)
6 瘠肉
7 賈客
8 炯炯・炯々
9 辺幅
10 稠坐

読み 各1点 計10点

ア わず(か)
イ は(れた)
ウ あやま(らず)
エ ひら(き)
オ ひそ(み)
カ ここ
キ た(えざる)
ク せんい
ケ そ(ぐ)
コ みだ(りに)

2 せきばらい。
7 商人のこと。
8 眼光の鋭いさま。
9 「辺幅を飾る」は体裁よくうわべを飾ること。また、容儀を整えること。
10 多人数の人がいること。
オ しわを寄せること。
ク あごが尖っていること。

第7回テスト 解答・解説

問題は本冊 P54~59

(一) 読み

グレーの部分は送りがなです　各1点 計30点

1 げきか
2 ばんきょ
3 ちゅっちょく
4 せんしん
5 ばいけつ
6 ろかく
7 わいえい
8 こうこう
9 しんち
10 よう
11 かんく
12 せんもう せんぼう
13 めいしゅく
14 よくしゃく
15 あいだい あいない
16 しゅうせい
17 しきょう
18 きょくむ
19 きょくしん
20 きじ
21 あ(く)
22 よわ(い)
23 すす(む)
24 おとがい
25 のが(れる)
26 おく(る)
27 ずし
28 ふか(き)
29 ながえ
30 つか(れ) やぶ(れ)

3「幽明」は暗愚と賢明、「黜陟」は退けることと官位を引きあげること。
4 しきりに来ること。
9 針仕事のこと。
15 舟歌。また、櫓の音。
20 ためいきをつくさま。

(二) 書き取り

グレーの部分は送りがなです　各2点 計40点

1 茹(だる)
2 渺茫
3 紬
4 蘊蓄・薀蓄
5 躄(り)
6 敬虔
7 薊
8 訝(る)
9 蕾・莟
10 蝟集
11 袱紗・袱
12 糧秣
13 羯鼓
14 鄙・俚
15 罍
16 宜
17 聝耳
18 赫爾
19 癪
20 鎊

10「蝟」はハリネズミ。その毛のように一箇所に密集していること。
15 大きい酒がめ。酒樽。
16 全くその通りである旨を表す言葉。なるほど。

(三) 語選択・書き取り

各2点 計10点

1 放埒
2 風靡
3 些事・瑣事
4 驀進
5 松籟

(四) 四字熟語

グレーの部分は解答の補足です

問1　各2点/計20点

1 蠹紙堆裏
2 耆老久次
3 肉袒牽羊
4 匏瓜空繋
5 邯鄲学歩
6 雲壌月鼈
7 一里撓椎
8 貪夫徇財
9 孤影孑然
10 慧可断臂

問2　各2点/計10点

1 ひょうきょ
2 とうこう
3 ほうし
4 けんじょ
5 はんりゅう

1 虫に喰われて傷み、山積みになっている古い本の中。
2 年を取るまで昇進しないこと。「次」は途中で止まる意。
3 降伏して謝罪し、下僕として仕えたいと請うこと。
4 優れた才能を持ちながら用いられないたとえ。
5 人真似をした結果、自分本来のあり方を忘れてしまうこと。
6 両者の差異が大きいこと。天と地。月とすっぽん。
7 多くの人が言うことでも盲信してはいけない。
8 欲深い者は金のためなら何でもするという意。
9 孤独で寂しげなさま。「孑然」は「けつぜん」とも読む。
10 固い決意を示すこと。達磨に教えを請うた慧可の故事から。

(五) 熟字訓・当て字

各1点 計10点

1 ベトナム
2 あおじ
3 おしろいばな
4 いりこ
5 いぬぶな
6 うとう
7 すいかずら
8 ごかい
9 やご・やまめ
10 きぬぎぬ

2ホオジロ科の小鳥。山林に棲む。

4ナマコの腸を取り除き、ゆでて干した食材。

5ブナ科落葉高木。材の用途は広い。

6ウミスズメ科海鳥。大きさは鳩くらい。

9トンボの幼虫。「やまめ」はその別称。

10男女が一夜を共にした翌朝。

(六) 熟語の読み・一字訓読み

各1点 計10点

グレーの部分は送りがなです

ア 1 しんぎん 2 うめ(く)
イ 3 えんじ 4 あま(り)
ウ 5 きゅうきょ 6 あわただ(しい)
エ 7 とうび ちょうび 8 ふる(う)
オ 9 せいれつ 10 きよ(い)

3文中に誤って入った余計な文字。

7終わりの勢いがよいこと。

(七) 対義語・類義語

各2点 計20点

グレーの部分は問題の熟語です

1 献上⇔賚賜
2 悠悠⇔齷齪・偓促
3 夥多⇔錙銖
4 玉砕⇔甎全
5 野暮⇔鯔背
6 繁華＝殷賑
7 道徳＝彝倫
8 茅屋＝草廬
9 度量＝襟度
10 全国＝闔国

4なす事もなく徒に生き長らえること。「瓦全」ともいう。「玉砕」は潔く死ぬこと。

5粋でさっぱりした気風のこと。

7人として守るべき道。

8粗末な家。また、自分の家の謙称。

9心の広さ。

10「闔」は全て、残らずの意。

(八) 故事・諺

グレーの部分は送りがなです 各2点／計20点

1 鴆・酖
2 惻隠
3 恪気
4 憚(る)
5 倉廩
6 細謹
7 慷慨
8 抓(って)
9 恙(無い)
10 彊弩・強弩

3嫉妬。やきもち。

6細かいつつしみ。大事をなす場合、細かい謹みは不要だということ。「細瑾」と書き「細かい傷にはこだわらない」の意でも用いられる。

7憤り嘆き、気が高ぶること。

10強い大弓。「魯縞」は薄絹。衰え果てては何もできない意。

(九) 文章題

グレーの部分は送りがなです

書き取り 各2点／計20点

1 痛痒・痛癢
2 罵詈
3 譏謗
4 擯斥
5 発兌
6 優渥
7 恐懼
8 草莽
9 輦轂
10 滔滔・滔々

読み 各1点 計10点

ア かりそめ
イ たとい たとえ
ウ いささ(か)
エ たまもの
オ いくばく
カ げいご うわごと
キ いずく(んぞ)
ク とばり
ケ せいはい
コ よはく

4押しのけ退けること。排斥。

5書物や新聞などを発行すること。

6天子の恵みが深いこと。

8「ソウボウ」とも読む。民間、在野のこと。

9「輦轂の下」は天子のお膝もと。すなわち首都。

ケ盛んに掲げられる旗。

コ夜明けに残る月の光。

第8回 テスト 解答・解説

(一) 読み

グレーの部分は送りがなです　各1点 計30点

1 きゅう
2 しんい
3 ふう
4 げじゅ
げしょう
5 こひつ
6 きゅうぎょく
7 しゅんまい
8 えいひょう
9 きこう
10 さじん
11 いんえい
12 せんへき
せんぺき
13 だかつ
14 かんしょう
15 とうこう
16 とかん
17 えいろう
18 きゅうかつ
19 しゅううん
20 おうふ
21 くじ(けない)
22 まぶ(す)
23 ことごと(く)
24 つつ(む)
25 きぬた
26 しのびごと
27 ふすま
28 てら(いて)
29 しじ
30 みずか(ら)

3 年老いたみこ。
8 海外のこと。
14 さかんに酒を飲むこと。
17 墓地のこと。
18 冬着と夏着。
29 牛車の轅の支え。また、乗り降りの踏み台。

(二) 書き取り

グレーの部分は送りがなです　各2点 計40点

1 剔抉
2 琴瑟
3 矜持・矜恃
4 盧舎那仏
5 瑪瑙
6 夾雑
7 甍
8 黄疸・疸
9 諂・諛・諞・佞・倖(い)
10 犇(く)
11 梃・梃子・槓杆・槓桿
12 険隘・嶮隘
13 慇懃
14 掾
15 魞
16 膏肓
17 皎皎・皎々・皓皓・皓々
18 杲杲・杲々
19 鮟
20 裄

2 「瑟」は大型の琴。「琴瑟相和す」は夫婦仲がよいこと。
14 律令制の官職のひとつ。
15 魚を導き入れ、捕らえる装置。
18 日の光が明るく輝くさま。

(三) 語選択・書き取り

各2点 計10点

1 膂力
2 騙取
3 蹲・蹲踞
4 鼾雷
5 鹵簿

(四) 四字熟語

グレーの部分は解答の補足です

問1 各2点／計20点

1 僭賞濫刑
2 束帛加璧
3 瀟湘八景
4 衍曼流爛
5 怡然自得
6 鳳凰于飛
7 栄諧伉儷
8 一望無垠
9 玉石同匱
10 敲金戛玉

問2 各2点／計10点

1 たいこう
2 しんしん
3 とうらい
4 げきたく
5 けいし

1 公正を欠き、基準を無視した恩賞や処罰のこと。
2 最高の礼物。十反一束の絹織物に貴石の玉を加える。
3 中国湖南省の八つの美しい風景。
4 悪がはびこり広がること。「曼」は「漫」とも書く。
5 和やかに喜び安らぎ、満ち足りていること。
6 聡明な天子の許に賢人が集まるたとえ。
7 調和の取れた仲の良い夫婦。結婚の賀詞に用いられた。
8 一目で広々と果てしない景色が見渡せること。
9 優れたものと劣ったものが同じ扱いを受けるたとえ。
10 詩文の調子や響きが美しく巧みなことのたとえ。

問題は本冊 P60~65

(五) 熟字訓・当て字

各1点 計10点

1 あめんぼ
2 あかうきくさ
3 われもこう
4 ひがんばな
5 こぶし
6 いちじく
7 わたまし
8 くいな
9 アモイ
10 やなぐい

3「吾亦紅」「吾木香」とも書く。
6「無花果」とも書く。
7 貴人の転居を敬っていう語。
8 クイナ科の鳥の総称。ヒクイナの鳴き声は詩歌で「たたく」と形容。「水鶏」とも書く。
10 矢を入れて背に負う道具。

(六) 熟語の読み・一字訓読み

各1点 計10点

グレーの部分は送りがなです

ア 1 じょうしゅ 2 あ(げる)
イ 3 れんそう 4 おさ(める)
ウ 5 いくん 6 のこ(す)
エ 7 うんぎょく 8 つつ(む)
オ 9 そうけん 10 くろ(い)

3 死者を地下に葬りおさめること。
5 先人ののこした教え。
7「韞」は包みかくす意。

(七) 対義語・類義語

各2点 計20点

グレーの部分は問題の熟語です

1 錦繡⇔襤褸・襤縷
2 帰納⇔演繹
3 賞賛⇔誹謗
4 最後⇔劈頭
5 奇禍⇔僥倖
6 泥酔＝酩酊
7 巷間＝江湖
8 浄化＝廓清・郭清
9 遠慮＝忌憚
10 勝敗＝贏輸

4 物事のはじめ。冒頭。
5 思いがけない幸運。「奇禍」は思いがけない災難。
7 世の中。世間。「ごうこ」とも読む。
8 これまでの悪い事柄を払い清めること。
10「贏」は勝つ。「輸」は負ける。「えいゆ」とも読む。

(八) 故事・諺

グレーの部分は送りがなです 各2点／計20点

1 昭昭
2 鷸蚌
3 膚受
4 累卵
5 管鮑
6 齎(さず)
7 鼈
8 鳩
9 一瓢
10 齧・嚙(り)

1「昭昭の名」は世に認められる名誉。
2 シギとカラス貝。
3 肌身に迫るような。
5 管仲、鮑叔牙という二人の人物の名。親密な仲だった。
7 スッポンのこと。
9 たったひとつのヒョウタン。

(九) 文章題

グレーの部分は送りがなです

書き取り

各2点／計20点

1 嗜(む)
2 蜿蜒・蜿蜿・蜒蜒
3 波瀾
4 洶湧・洶涌
5 紛紜
6 屹然
7 猜忌
8 阿諛
9 憚(らず)
10 恬然

読み

各1点 計10点

ア よろこ(ばしむ)
イ つい(に)
ウ こうらん
エ とうろう
オ ひょうしゃ
カ ざつじゅう
キ ああ
ク ざんぶ
ケ しぜん
コ しょうしゃく

2 うねうね続くさま。「々」を使ってもよい。
4 波のわき立つさま。
5 物事が入り乱れるさま。
6 周囲に影響されず孤高を保つさま。
10 平気でいるさま。
エ 大きな波のこと。
オ よりどころとすること。
ケ 勝手気ままなこと。
コ 溶けて形がなくなること。

第9回 テスト 解答・解説

問題は本冊 P66~71

(一) 読み

グレーの部分は送りがなです　各1点 計30点

1 きべい
2 だてい
3 せつせつ
4 かいりゅう
5 ちくはく
6 きび
7 じょうい
8 ししょう
9 こんおう
10 すいせい
11 かくはく
12 べっしょ
13 とくしゅく
14 えつ
15 しょくしょく

16 けいさい
17 きし
18 えっけん えつけん
19 てきとう
20 きゅうけつ
21 ふすま
22 ほしいまま
23 ふさ(がず)
24 おくび
25 た あた
26 はげ(ます)
27 しろたえ
28 たの(んで)
29 きっさき
30 なに

7 若い枝のこと。
13 善悪のこと。
18 「粤」は中国南部、広東方面の古称。
19 すぐれていること。
23 「涓涓」は水が細く流れるさま。
27 楮の樹皮の繊維を織った白い布。

(二) 書き取り

グレーの部分は送りがなです　各2点 計40点

1 膠漆
2 軋轢
3 顰蹙・嚬蹙
4 躊躇
5 呵(して)
6 跪(いて)
7 憚(り)
8 蹂躙
9 筐底・篋底
10 賺(す)

11 真鍮
12 範疇
13 姨捨
14 毬栗
15 冤譴
16 偃蹇
17 稍・漸・良
18 動
19 嬶
20 鉞

5 息を吹きかけること。
10 機嫌をとり慰めること。
15 冤罪、濡れ衣と同じ意味。
16 高々とそびえるさま。

(三) 語選択・書き取り

各2点 計10点

1 邂逅
2 飯盒
3 蹌踉
4 閼伽
5 臘月

(四) 四字熟語

グレーの部分は解答の補足です

問1　各2点／計20点

1 振臂一呼
2 滾瓜爛熟
3 羝羊触藩
4 疇昔之夜
5 撥雲見日
6 翼覆嫗煦
7 兵戈槍攘
8 玉兎銀蟾
9 紛紅駭緑
10 翫歳愒日

問2　各2点／計10点

1 しつよう
2 しょうし
3 ほうが
4 べきろ
5 せきろ

1 努めて自分を奮い立たせること。「振臂」は奮起するさま。
2 十分に習熟していること。「滾」は転がる意。
3 勢いに任せて猛進してしまい進退きわまること。
4 昨夜のこと。「疇昔」は先日、昨日。
5 暗雲が払いのけられ、前途に光明がさすこと。
6 翼で卵を覆い温めること。転じて、慈しみ愛すること。
7 激戦のさま。「兵戈」は武器、戦争。「槍攘」は乱れる。
8 月にすむという兎とひき蛙。それぞれ月の異称。
9 花は紅に咲き、緑の葉は風に翻る。「駭」は乱れる。
10 何もせず日々を浪費すること。「歳(とし)を翫(むさぼ)り日を愒(むさぼ)る」

(五) 熟字訓・当て字

各1点 計10点

1 カラコルム
2 かみきりむし
3 くちなし
4 せこ
5 うまごやし
6 ほんだわら
7 まぶし
8 ゆうずつ
9 うみほおずき
10 バイオリン

1 かつてのモンゴル帝国の首都。チンギス・ハーンが造営し、その後、宮殿や城壁が築かれて首都に定められた。
3 アカネ科の常緑低木。実は黄色の染料となる。「巵子・山梔子」とも書く。
5 マメ科の牧草。肥料としても用いる。
6 海藻の名。「神馬藻」とも書く。

(六) 熟語の読み・一字訓読み

各1点 計10点

グレーの部分は送りがなです

ア 1 きょうふ 2 たお(れる)
イ 3 とうてん 4 はびこ(る)
ウ 5 くんじょう 6 いぶ(す)
エ 7 じゅうさく 8 ま(じる)
オ 9 もんしつ 10 ひね(る)

1 倒れること。
3 水が天に届くほど満ち溢れること。勢いが盛んなことのたとえ。
9 ほしいままの行為のたとえとされる。

(七) 対義語・類義語

各2点 計20点

グレーの部分は問題の熟語です

1 白皙⇔赭顔
2 険阻⇔夷坦
3 称賛⇔罵詈
4 貧窮⇔富贍
5 下山⇔登攀
6 洗練＝瀟洒・瀟灑
7 美服＝綺羅
8 黌宇＝庠序
9 悔悟＝改悛・悔悛
10 優秀＝英邁

1 あから顔のこと。
2 平坦。「夷」に平らの意味がある。
3 ののしること。
4 富んで豊かなこと。「贍」は十分あること。
7 美しい衣服。
8 共に学校のこと。
10 才知がすぐれていること。

(八) 故事・諺

各2点／計20点

1 櫓櫂
2 余殃
3 鵙
4 井桁
5 殷鑑
6 鞭影
7 四夷
8 海棠
9 華胥
10 毀傷

5 滅亡した殷王朝が手本とすべきだったもの。
7 中国から見て四方の異民族。東夷・南蛮・西戎・北狄。
8 中国原産のバラ科常緑高木。春、薄紅色の美しい花が咲く。
9 中国古代の天子、黄帝が夢見た理想郷。
10 そこない傷つけること。

(九) 文章題

グレーの部分は送りがなです

書き取り 各2点／計20点

1 赫赫・赫々
2 眩耀・眩燿
3 社稷
4 困艱
5 切磋・切瑳
6 駸駸・駸々
7 毫
8 逡遁・逡巡
9 萎靡
10 諂諛

読み 各1点 計10点

ア いく
イ それ
ウ は(せ)
エ きょうけい
オ た(えず)
カ とぎょ しみ
キ すく(な)
ク もうえい
ケ おも(ん)
コ ろれつ

2 まぶしく光りかがやくこと。
3 土地の神と五穀の神。転じて国家。
6 時間や物事の進行がはやいこと。
9 なえて衰えること。
10 こびへつらうこと。
エ「勍」も強い意。
カ 衣類や紙類を食い荒らすシミ科の昆虫。
ク 筆の別称。
コ つらなり並ぶこと。並べること。

第10回 テスト 解答・解説

問題は本冊P72~77

(一) 読み

グレーの部分は送りがなです　各1点 計30点

1 ざんがん
2 ぼうう
3 はいかん
4 しんとう
5 ろもう
6 りょうらく
7 げつい
8 そうほ
9 しめい
10 ごい
11 ようそ
12 せんけん せんえん
13 てんこう
14 きゅうけん
15 ちょうぜん
16 たんらん どんらん
17 こきょう
18 あいきん
19 きび
20 てんゆ
21 かが(る)
22 よ(ろし)
23 はぐく(む)
24 ふまき
25 あそ(び)
26 あによめ
27 かわや
28 すで(に)
29 じょうびたき
30 ためら(う)

9 盟誓をつかさどること。
10 五句の句末毎に噫字を置き、時世に限りない悲しみを寄せた歌。
13 喉をふるわせて歌うこと。
15 直立して動かないこと。
17 誇張して誇ること。

(二) 書き取り

グレーの部分は送りがなです　各2点 計40点

1 祭祀
2 霙
3 花卉
4 嗄(れ)
5 抉(じ)
6 疼(く)
7 咎(め)
8 繽紛
9 辺鄙
10 鐚
11 溽暑
12 啣・唫・銜(えて)
13 華鬘・花鬘
14 白晳
15 轗軻・坎軻
16 苴・苞
17 愧赧
18 忌憚
19 硲
20 吽

10「鐚一文」は鐚銭という粗末なお金一文の意。極めてわずかな金銭を意味する。
13 花鳥などを透かし彫りにした仏堂の装飾具。
15 世に受け入れられず悩むこと。

(三) 語選択・書き取り

各2点 計10点

1 蛇蝎・蛇蠍
2 慟哭
3 瀰漫・弥漫
4 提挈
5 樊籠

(四) 四字熟語

グレーの部分は解答の補足です

問1　各2点／計20点

1 得匣還珠
2 誨人不倦
3 翹首企足
4 快犢破車
5 恩讎・恩讐分明
6 蘭薫桂馥
7 浮雲翳日
8 縞衣綦巾
9 揺頭擺尾
10 子墨兎毫

1 物の価値が分からないことのたとえ。
2 教え導いてやまないこと。教える熱意を失わないこと。
3 人の来訪や物事の到来を待ちわびること。
4「快犢」は元気のよい子牛。大物の素質ある子供のこと。
5 恩には恩で仇には仇で報いる。それを明確にすること。
6 蘭や桂が香り立つ。子孫の繁栄や勝れた人徳のたとえ。
7 悪人が政権を握り、君主の英明を惑わすたとえ。
8 身分の低い女性の質素な服装。自分の妻の謙称。
9 頭を揺らし尾を振るようにして人にこびへつらうこと。
10 文人のこと。「子墨」は墨を擬人化した表現。「毫」は筆。

問2　各2点／計10点

1 せきちょ
2 しょうごう
3 くんこう
4 さんきん
5 おうおう

(五) 熟字訓・当て字

各1点 計10点

1 とくさ
2 サフラン
3 くろもじ
4 ほととぎす
5 えにしだ

6 あとり
7 からすみ
8 さいみ
9 うわばみ
10 ベニス

2 アヤメ科多年草。花柱は薬用・染色用。
5 マメ科落葉低木。初夏、黄金色の花を多数つける。
6 スズメよりやや大きい渡り鳥。
7 ボラ・サワラなどの卵巣を塩漬けにし、圧搾、乾燥したもの。酒の肴によい。
8 織り目の粗い麻布。蚊帳などに用いる。
9 大蛇のこと。また大酒飲みのたとえ。

(六) 熟語の読み・一字訓読み

各1点 計10点　グレーの部分は送りがなです

ア 1 ふいく　2 かしず(く)
イ 3 いえつ　4 よろこ(ぶ)
ウ 5 かいん・かおん　6 なま(る)
エ 7 きんこう　8 つぐ(む)
オ 9 ようげき　10 むか(える)

1 王子などをかしずき育てること。
5 なまった発音。
9 迎え撃つこと。

(七) 対義語・類義語

各2点 計20点　グレーの部分は問題の熟語です

1 粘液⇔漿液
2 払暁⇔旰昃
3 閑暇⇔匆忙・怱忙
4 不発⇔炸裂
5 強壮⇔孱弱
6 他界＝薨去
7 伯仲＝拮抗・頡頏
8 掌握＝収攬
9 天性＝稟質
10 泥棒＝偸盗

1 粘度の低い液体のこと。
2 日暮れのこと。
5 ひよわなこと。
6 特に皇族や三位以上の位の人の死去に用いた語。
7 力が同等で互いに屈しないこと。
8 自分の手に集め収めること。
9 生まれつきの性質。
10 盗賊のこと。

(八) 故事・諺

グレーの部分は送りがなです　各2点／計20点

1 舐(らせ)
2 顰・嚬(み)
3 膏血
4 胼胝
5 羝羊
6 良賈
7 狂瀾
8 綸言
9 鐸
10 渺

1 「舐らせ」はなめさせること。
2 眉の辺りにしわを寄せること。
3 人のあぶらと血。苦労して得た収穫や財産の意。
5 牡羊のこと。
6 よい商人。賢者をたとえた。
9 大きな鈴。中国で昔、命令を発するとき用いた。
10 果てしなく広がるさま。

(九) 文章題

グレーの部分は送りがなです

書き取り 各2点／計20点

1 倥偬
2 寸毫
3 霽月
4 開闔
5 渺茫・眇茫
6 帷幄・幃幄
7 烏喙
8 恍惚
9 親炙
10 罵詈

読み 各1点 計10点

ア あまた
イ あと
ウ いずく(んぞ)
エ たと(えば)
オ さき
カ おも(えば)
キ わか(つ)
ク おおむ(ね)
ケ ぞく(ぞっ)こう しょく(しょっ)こう
コ ほしいまま

1 忙しいさま。
3 何の曇りもない心境のたとえ。
4 開くことと閉じること。
5 果てしなく広がっているさま。
7 欲の深い顔つきのたとえ。
ア 「数多」とも書く。
ウ どうして～であろうか。
ケ 危篤の際、綿を用いて気息の有無を確かめること。

第11回テスト 解答・解説

問題は本冊P78~83

(一) 読み

グレーの部分は送りがなです　各1点　計30点

1 だふ
2 てんこう
3 い
4 きんしん／きんじん
5 あんぽう
6 こうかん
7 とうあん
8 ぎょくし
9 しゅうけい
10 じゅしゅ
11 きそう／きしゅう
12 うんかく
13 たん
14 らんだ
15 かんてい

16 きんかく
17 かつかい／かっかい
18 たくらく
19 わいうつ
20 しょくじ
21 さわ
22 はなだ
23 かしず(く)
24 おこた(らず)
25 ま(げて)
26 ことごと(く)
27 ゆうげ
28 したが(う)
29 ひだる(い)
30 むさぼ(る)

3 法則として用いる常法。
10 辺境を守ること。
11 「箕帚の妾」は人の妻となることの謙譲語。
12 書庫。書斎。
20 いずまいを正すさま。
22 薄い藍色。

(二) 書き取り

グレーの部分は送りがなです　各2点　計40点

1 颯爽
2 拗(ねて)
3 呟(いた)
4 韜晦
5 布帛
6 髣髴・彷彿
7 僕
8 恙(無く)
9 馘首
10 落魄

11 猊下
12 囮
13 諄・絮(い)
14 絎(ける)
15 招聘
16 双眸
17 蒼氓
18 匆忙・悤忙

2 「世を拗ねて」は世を捨てた態度をとること。
4 「韜晦戦術」は相手の目をくらます戦術。
8 「恙無い」は異状が無く、無事なこと。
17 人民。民衆。

19 栂
20 躾

(三) 語選択・書き取り

各2点　計10点

1 翩翻
2 夭逝
3 毫釐
4 旱魃・干魃
5 爛漫

(四) 四字熟語

グレーの部分は解答の補足です

問1　各2点／計20点

1 沈湎冒色
2 一闔一闢
3 羊很狼貪
4 韜光晦迹
5 礎風春雨
6 朝耕暮耘
7 円顱方趾
8 三世一爨
9 懸崖勒馬
10 風鬟雨鬢

問2　各2点／計10点

1 てきがい
2 じょうひ
3 かき

4 さいじ
5 てっし

1 酒色に溺れること。怠惰で身持ちが悪いこと。
2 陰陽の気の消長をいう。「或いは閉じ、或いは開く」
3 人の言うことを聞かず道理に背き貪欲であること。
4 勝れた資質や才能を包み隠して表に出さないこと。
5 物事の予兆のこと。羽蟻の群れの飛び方で天候を知った。
6 朝に耕し夕べには草取りをして農事に励むこと。
7 人間のこと。丸い頭と四角い足は天地を象るとされた。
8 ひとつのかまどで煮炊きし三世代仲良く同居すること。
9 間一髪のところで気付いて後悔し、危険を悟ること。
10 風雨に晒される髪。非常に苦労して働くたとえ。

(五) 熟字訓・当て字

各1点 計10点

1 やまね
2 さるすべり
3 セイロン
4 まんぼう
5 かきどおし
6 かれい
7 かたばみ
8 あけび
9 きいちご
10 かかし

4 熱帯・温帯の海にすむ海魚。体は卵形。
5 シソ科多年草。茎は蔓状に這う。
7 カタバミ科多年草。葉や茎はかむと酸味がある。
8 アケビ科蔓性落葉低木。果肉は甘く美味。「木通」とも書く。
10 「案山子」とも書く。

(六) 熟語の読み・一字訓読み

各1点 計10点

グレーの部分は送りがなです

ア 1 きょうめい 2 もと（める）
イ 3 しょうとく 4 ほ（める）
ウ 5 きょうじつ 6 む（く）
エ 7 あいこう 8 せま（い）
オ 9 とさつ 10 ほふ（る）

1 名声を求めること。
3 人の功績や徳をほめたたえること。
5 ここでは太陽の方に向くこと。
10 敵を破る意味でも用いることば。

(七) 対義語・類義語

各2点 計20点

グレーの部分は問題の熟語です

1 誕生⇔徂歿・徂没
2 粱肉⇔粢糲
3 仕官⇔挂冠
4 起筆⇔擱筆
5 寒冷⇔暄暖
6 結婚＝娶嫁
7 幼童＝髫児
8 帆柱＝檣竿
9 普段着＝褻衣
10 落涙＝流涕

2 粗末な食事のこと。
3 官職を辞すること。
5 「暄」はあたたかい。「喧」と書き誤らない。
6 妻を迎えること。
7 「髫」は首筋に髪を垂らす子供の髪形。幼児を「垂髫」ともいう。
8 「檣」はほばしら。マスト。

(八) 故事・諺

各2点／計20点

1 蕭牆
2 羞悪
3 畚
4 杵臼
5 微瑕
6 狢・貉
7 遂事
8 琥珀
9 尺牘
10 衆寡

2 不善を恥じ、悪を憎むこと。
4 「杵臼の交わり」は相手の貧富・貴賤にこだわらない交わり。
5 立派なものの僅かな欠点。
8 ここでは高潔・潔白のたとえ。
9 一尺の木簡。「書疏」と共に手紙の意。手紙の字が上手な人は千里の遠くまで高い評価を得るという意味を表す。

(九) 文章題

グレーの部分は送りがなです

書き取り 各2点／計20点

1 一艘
2 蹲・踞（って）
3 漕・楫・榜
4 艪・櫓
5 蠹害
6 捏造
7 紊乱
8 覆轍
9 糟粕
10 収攬

読み 各1点 計10点

ア とも・へさき
イ ともづな
ウ てやり
エ ばらま（いた）
オ ま（じって）
カ みとが（める）
キ おもね（り）
ク よ（りて）
ケ つ（ぎ）
コ それ

5 むしばみ、損なうこと。
7 「ビンラン」と読むのは慣用読み。
8 「前車の覆轍」は後々の教訓となるような失敗の前例。
9 「糟粕を嘗める」は独自の新しさがないことのたとえ。
10 自分の手に握ること。
イ 船を繋ぎとめる綱。
キ こびへつらうこと。

第12回テスト 解答・解説

問題は本冊P84~89

(一) 読み

グレーの部分は送りがなです　各1点 計30点

1 だかく
2 せんげき
3 いんお
4 せきれん
5 はんき
6 ばんこく
7 しゅうとう
8 のうしょう
9 ほうてき
10 よう
11 たんはん たんぱん
12 げんうん
13 あいふん
14 こうてん
15 さちょ
16 かんばい
17 きょうちょく
18 しょうは
19 えんりゅう
20 はんそ
21 すが(りて)
22 かちわた(り)
23 ゆ(く)
24 こぼ(つ)
25 ひっさ(げて)
26 すばる
27 もじずり
28 ものう(い)
29 ちまた
30 そ

2 触れ文。 3 怒ってむせび泣くこと。 4 税を納めること。 11 午睡のこと。 16 声を立てぬよう兵や馬に木片をくわえさせること。 27 釣り忍の葉や茎を模様にした衣。

(二) 書き取り

グレーの部分は送りがなです　各2点 計40点

1 瀟洒・瀟灑
2 鰾膠・鮸膠
3 齟齬
4 鼾
5 竹篦
6 啀(み)
7 躪(り)
8 膂力
9 傷痍
10 黎明
11 敵愾心
12 予餞
13 倭寇・和寇
14 磅・听・封
15 蓁蓁・蓁々
16 駸駸・駸々
17 鱓
18 靫
19 圦
20 蟎

2 ニベ科海魚。その「鰾」は膠(接着剤)の原料。「鰾膠もなく」は「取り付く島もなく」の意。 15 草木が盛んに生い茂るさま。出典は「詩経」。 16 馬が速く走るさま。

(三) 語選択・書き取り

各2点 計10点

1 瞠目
2 僻陬
3 顆粒
4 濫觴
5 傀儡

(四) 四字熟語

グレーの部分は解答の補足です

問1 各2点／計20点

1 五蘊皆空
2 澆季溷濁
3 仏籬祖室
4 訥言敏行
5 雪魄氷姿
6 廃格沮誹
7 筆力扛鼎
8 衆賢茅茹
9 厭聞飫聴
10 悽愴流涕

問2 各2点／計10点

1 きせつ
2 べんぺき
3 しゅうし
4 だいとう
5 つうき

1 仏教語。人間界のものには実体が無く一切空である。
2 人情や道徳が希薄になり、乱れ汚れた末世のこと。
3 仏門、特に禅宗のことを指す。
4 人徳者は口下手でも行動は敏速であるべきという意。
5 雪のように清らかな魂。梅の花や高潔な人のたとえ。
6 物事の実行を邪魔して悪口を言い立てること。
7 文章や筆勢の力強さをほめる言葉。「筆力鼎を扛ぐ」
8 多くの賢人が茅の根の連なりのように協力し合うこと。
9 聞き飽きること。聞き飽きるほど聞かされること。
10 悼み悲しんで涙を流すこと。

(五) 熟字訓・当て字

各1点 計10点

1 からくしげ
2 みそさざい
3 ハーグ
4 ぬばたま
5 みずら
6 えい
7 かいらぎ
8 かりやす
9 ひもろぎ
10 つみ

1 櫛を入れる美しい小箱。
3 オランダの都市。国際司法裁判所が置かれている。
4 ヒオウギ(アヤメ科)の丸く黒い種子。
5 上代における男子の結髪法。「角髪」「鬟」「髻」とも書く。

(六) 熟語の読み・一字訓読み

各1点 計10点

グレーの部分は送りがなです

ア 1 あんが 2 おそ(い)
イ 3 きんきゅう 4 くる(しむ)
ウ 5 けつよう 6 あば(く)
エ 7 ぐうい 8 かこつ(ける)
オ 9 そうかつ 10 かまびす(しい)

1 天子の崩御を意味する語。
5 あばくこと。
9 やかましいこと。

(七) 対義語・類義語

各2点 計20点

グレーの部分は問題の熟語です

1 長身⇔矮軀
2 駿馬⇔駑駘
3 衒耀⇔韜晦
4 忠直⇔邪諂
5 周到⇔迂闊
6 殄殲＝鏖殺
7 青空＝蒼穹
8 豊年＝稔歳
9 謀計＝籌策・籌筴
10 役所＝官衙

1 背丈の低い体。
4 よこしまで、人にへつらうこと。「忠直」はまごころを尽くし正直であること。
6 皆殺しにすること。「殄殲」は滅ぼし尽くすこと。
7 「穹」はドーム状のものをいう。
9 はかりごと。

(八) 故事・諺

各2点／計20点

グレーの部分は送りがなです

1 睫・睫毛
2 笄
3 祟(り)
4 皰・靤・面皰・面靤
5 点睛
6 稼穡
7 瓦礫
8 零溢(さず)
9 碌
10 眸子

1 「毫毛」は細い毛。きわめてわずかなことを示す語。
2 「比丘尼」は尼僧。必要ないことを示す諺。
5 ひとみを描き入れること。「睛」を「晴」と書き誤らない。
6 穀物の植え付けと収穫。農作業のこと。
10 ひとみのこと。

(九) 文章題

グレーの部分は送りがなです

書き取り

各2点／計20点

1 籐
2 嘴・觜・喙
3 憫笑・愍笑
4 花卉
5 躑躅
6 蠢・蠕(いて)
7 代赭
8 突兀
9 佇・站・竚(んだ)
10 聳・竦(え)

読み

各1点 計10点

ア よ(って)
イ かや
ウ のうぜんはれん
エ おいらんそう
オ しのぶ しのぶぐさ
カ さか(んだ)
キ ひまじん
ク そよ(いで)
ケ めぐ(る)
コ つた つたかずら

4 観賞目的で栽培する植物。
7 茶色を帯びた橙色。
8 険しくそびえるさま。
イ イチイ科の常緑高木。
ウ 南米原産。ノウゼンハレン科一年草。
エ ハナシノブ科多年草。「花夾竹桃」ともいう。
コ つる草の総称。「蘿」は「つのよもぎ」とも読むが、こちらはヨモギの一種。

問題は本冊P90~95

(一) 読み

グレーの部分は送りがなです　各1点　計30点

1 ちょうしん
2 てんだい
3 たくふう
4 あんこう
5 そもく
6 てんりく
7 ゆうしょく
8 そうぼう
9 しゅうてつ／しゅうてい
10 はいすい
11 しゃくすい
12 しょうこう
13 たいとう
14 ざんとく
15 かんこう
16 くくぜん
17 とうひつ
18 でつ／でっ
19 いとく
20 へいせん
21 こ(う)
22 ぬめ
23 わざわ(い)
24 ほこ
25 おこぜ
26 はじ(める)
27 あわただ(しく)
28 すべ(て)
29 のぞ
30 さら

1 幼い子どものこと。
7 貴人に陪食すること。
12 塩素と水銀の化合物。防腐・消毒用。
14 中傷する者たち。「口を間執」は口を塞ぐ。
16 心に適い、喜び遊ぶさま。
22 書画を描くのに用いる絹布。

(二) 書き取り

グレーの部分は送りがなです　各2点　計40点

1 掣肘
2 端倪
3 劈・擘(く)
4 剽窃
5 残喘
6 荼毘
7 縢・紮・絡(げる)
8 剪定
9 乖離
10 雪冤
11 琺瑯
12 蔕
13 潦
14 解(れた)
15 眥・睚
16 鵲
17 刪除
18 芟除
19 艝・轌
20 篣

2「端倪すべからず」は規模がどのくらいか計り知れないこと。
4 他人の著作を無断で引用すること。
17 不要の字句などを削り除くこと。

(三) 語選択・書き取り

各2点　計10点

1 惆悵
2 対峙
3 矍鑠
4 研鑽
5 瘴癘

(四) 四字熟語

グレーの部分は解答の補足です

問1　各2点／計20点

1 巍然屹立
2 渇驥奔泉
3 赴湯蹈火
4 南洽北暢
5 在邇求遠
6 斬釘截鉄
7 頑廉懦立
8 海内冠冕
9 剣抜弩張
10 雪萼霜葩

問2　各2点／計10点

1 じゅぼ
2 せいしん
3 ほんいく
4 ちゅうかく
5 がとう

1 山が聳え立つ如く人や事物が他に抜きん出ていること。
2 勢いが激しいたとえ。書の筆勢などが力強いたとえ。
3 危険を顧みないたとえ。
4 天子の恩沢が国の隅々まであまねく行き渡ること。
5 道は卑近なところにあるのに却って遠くに求めること。
6 きっぱりとした決断力があること。もと仏教語。
7 優れた人に感化されてよい方向に導かれること。
8 天下第一。「海内」は天下国家、「冠冕」は首位にある意。
9 今にも戦いが始まりそうな緊迫した情勢のこと。
10 梅の異名。雪や霜のように白く、雪や霜を凌いで咲く。

(五) 熟字訓・当て字 各1点 計10点

1 こめかみ
2 おとこえし
3 みみずく
4 はますげ かやつりぐさ
5 やまぼうし
6 マカオ
7 ほや
8 はさ はざ
9 くさぎ
10 ほたるぶくろ

1「顳顬」とも書く。
2 オミナエシ科多年草。白い花を夏から秋にかけてつける。
4 共にカヤツリグサ科に属するが別の植物。
8 木や竹を組んで作ったイネ掛け。

(六) 熟語の読み・一字訓読み 各1点 計10点

グレーの部分は送りがなです

ア 1 せんぷ 2 た(りる)
イ 3 こうえん 4 にわ(か)
ウ 5 へんけん べんけん 6 なら(べる)
エ 7 うんよう 8 いか(る)
オ 9 ぎんしょう 10 うそぶ(く)

1 不足がなく、ゆたか。
3 突然起こるさま。急なさま。
7 怒った様子。
10 詩歌を口ずさむこと。

(七) 対義語・類義語 各2点 計20点

グレーの部分は問題の熟語です

1 陞任⇔降黜
2 緻密⇔粗笨・麤笨
3 丫鬟⇔老媼・老嫗
4 苗裔⇔曩祖
5 善政⇔秕政
6 徘徊＝彷徨
7 松明＝炬火
8 欠点＝疵瑕
9 雲泥＝霄壌
10 才媛＝閨秀

2 粗くおおまか。
3「丫」は童子の髪形(あげまき)。「丫鬟」はあげまきの少女。
5「秕」はくず米のこと。悪いの意がある。
7 かがり火。たいまつ。
9「霄壌」は天と地。「霄壌の差」のように使う。
10 学問や芸術にすぐれた女性。

(八) 故事・諺 グレーの部分は送りがなです 各2点／計20点

1 肯綮
2 薬袋
3 纓
4 篩
5 絢(う)
6 纜
7 筌
8 金縷
9 臭骸
10 黄粱

1 物事の肝心な所。要点。急所。
3 冠のひも。
6 船をつなぎとめておく綱。
8「縷」は糸。
10 粟の一種。「黄粱一炊の夢」は人生のはかなさのたとえ。類「邯鄲の夢」

(九) 文章題 グレーの部分は送りがなです

書き取り 各2点／計20点

1 寂寥
2 稍
3 禿山
4 山巓
5 蠢(く)
6 短矮
7 蘇生・甦生
8 朔風
9 砂磧・沙磧
10 戡定

読み 各1点 計10点

ア きく
イ かん
ウ そまつ
エ つ(ぐ)
オ わた(らば)
カ ごび
キ おそ(る)
ク かいらん
ケ ただ(ならず)
コ みずか(ら)

1 ものさびしい様子。感じ。
6 背が低く小さいこと。
8 北の方から吹く風のこと。北風。
10 敵を討ち乱をしずめること。
ク やぶれただれること。また、やぶりくずすこと。

問題は本冊 P96~101

(一) 読み
グレーの部分は送りがなです　各1点 計30点

1 せんかん せんえん
2 けいけい
3 さんすい
4 せんるい
5 ざんし
6 はくさん
7 だっき
8 えいりゅう
9 りんせき
10 さんぜん
11 ふしょ
12 ぎんがく
13 へいき
14 こうきょく
15 ちてい
16 ひょうが
17 きこうでん きっこうでん
18 けいど
19 てっとう
20 がとう
21 うるお(す)
22 そな(える)
23 あたた(めて)
24 しし
25 しいな
26 う(れず)
27 あまね(し)
28 なら(い)
29 や(めて)
30 ちまた

2 ひとりぼっちのこと。
4 かよわいこと。
9 城の上から落下させる石。
12 辺際のこと。
17 現代の七夕祭りに当たる行事。
20 寝台。「臥榻の側」は自分の領分。

(二) 書き取り
グレーの部分は送りがなです　各2点 計40点

1 澪
2 埒外
3 篝火
4 欄
5 逆睹
6 嗜(んで)
7 老叟
8 嘴・喙・觜
9 咨嗟
10 楮
11 梲
12 啓蟄
13 一旒
14 慫慂
15 呷(った)
16 糸毫
17 諡号
18 侈傲・侈慠・侈敖
19 椌
20 襷

9 ため息をついて嘆くこと。
14 「慫慂黙しがたく」は、人の誘いを放っておけないこと。
16 極めて少ないこと。わずか。

(三) 語選択・書き取り
各2点 計10点

1 跋文
2 帷幄
3 猖獗
4 袂別
5 辛辣

(四) 四字熟語
グレーの部分は解答の補足です

問1　各2点/計20点

1 鏃礪括羽
2 断虀画粥
3 魁梧奇偉
4 風檣陣馬
5 蒹葭玉樹
6 昏定晨省
7 集腋成裘
8 窮兵黷武
9 盈則必虧
10 雲遊萍寄

1 鏃を研ぐように学識を磨き更に有為の人物となること。
2 粗末な食事をし、貧窮に耐えて学問に励むこと。
3 体が大きくて立派なこと。
4 勇猛果敢なこと。転じて文章や詩句が力強いこと。
5 つまらぬ者が富貴な親戚の力を借りて威張ること。
6 親孝行すること。夜は寝具を整え、朝はご機嫌を伺う。
7 民衆を集めて大きなことを成し遂げるたとえ。
8 みだりに武力を用いて徳を汚すこと。
9 満つれば欠く。頂点に達すると必ず衰退の兆しが現れる。
10 雲や浮草のように、執着を持たず自然に任せること。

問2　各2点/計10点

1 しんせつ
2 しゅる
3 たいろ
4 かちゅう
5 おんぽう

(五) 熟字訓・当て字

各1点 計10点

1 ななかまど
2 ひとで
3 ふくじゅそう
4 しらん
5 いらくさ
6 しのぶぐさ
7 にわうめ
8 ジャワ
9 こなから
10 ごまのはぐさ

1七竈。材が堅く、燃えにくいため、七度かまどに入れても燃えないと言われ、この名がある。

7バラ科落葉低木。春に淡紅色の花をつける。

9半分の半分。酒や米の一升の四分の一、二合五勺。

(六) 熟語の読み・一字訓読み

各1点 計10点

グレーの部分は送りがなです

ア 1 けんべつ 2 みわ(ける)
イ 3 りくりょく 4 あわ(せる)
ウ 5 ちゅうしゃく 6 ときあか(す)
エ 7 かんたく 8 えら(ぶ)
オ 9 ていかい 10 たちもとお(る)

1はっきり区別すること。

3協力と同じ意。「勠力同心」という四字熟語がある。

9さまよう。歩き回る。「徊」はさまよう意。

(七) 対義語・類義語

各2点 計20点

グレーの部分は問題の熟語です

1 崇拝⇔冒瀆
2 標準語⇔訛語・譌語
3 早春⇔杪春
4 有罪⇔無辜
5 天神⇔地祇
6 督励＝鞭撻・鞭韃
7 野菜＝蔬菜
8 屹立＝聳峙
9 教唆＝使嗾・指嗾
10 最期＝終焉

2なまりのある言葉のこと。

3「杪」に末の意がある。晩春のこと。

4罪のないこと。

5地の神。くにつかみ。

6戒め励ますこと。現代でも挨拶文などでよく使われる。

7野菜。青物。

8高くそびえ立つこと。

9指図してそそのかすこと。

(八) 故事・諺

各2点／計20点

1 舐犢
2 腋
3 赤心
4 直諫
5 肆
6 脛・臑
7 臍
8 羹
9 疝気
10 聚斂

1母牛が子牛をなめること。「舐犢の愛」は子を深く愛すること。

2狐の腋の下の白い毛。たいへん貴重。

3真心のこと。

4遠慮なく諫めること。

8熱いスープ。「膾」は冷たい料理。

9下腹部や腰が痛む病気。

10租税を厳しく取り立てること。

(九) 文章題

グレーの部分は送りがなです

書き取り 各2点／計20点

1 杞憂
2 眷属・眷族
3 沈淪
4 憐(れむ)
5 畢竟
6 厭世
7 蔓延
8 薨(じ)
9 内訌
10 後塵

読み 各1点 計10点

ア か・や
イ ほしいまま(に)
ウ また
エ や(むなく)
オ すく(なからず)
カ きげき
キ は(らさん)
ク か(りて)
ケ ていけつ
コ てんてい てんてつ

2一族、親族のこと。郎党や従者。

3落ちぶれること。

5結局。つまるところ。

9内部の乱れ。内輪もめ。

カ行動が異常に過激なこと。また、その様子。

コひとつひとつをつづり合わせること。また、あれこれ取り合わせること。

問題は本冊P102~107

(一) 読み

グレーの部分は送りがなです　各1点 計30点

1 けんさん
2 りょうちゅう
3 しんじゅん
4 させい
5 しゅくこつ
6 はこや
ばくこや
7 だっしょう
8 しょうそう
9 えいじゅん
10 やくし
11 だっさい
12 えきたん
13 たく
14 はくぎょく
15 だい
16 どうひょう
17 たんけい
18 しょうじょく
19 ふてん
20 ぎんぎん
21 ほばしら
22 う(ち)
23 しこ(り)
24 かき
25 にご(った)
26 とりこ
27 す(かれ)
28 やわら(げ)
29 みそなわ(す)
30 めどぎ

1 心が結ぼれるさま。
9 つやつやしたさま。
13 突き刺すこと。
14 まだ磨かれていない玉。質朴さのたとえ。
19 天のおおう下。
20 慎み深いさま。

(二) 書き取り

グレーの部分は送りがなです　各2点 計40点

1 夥(しい)
2 熱(り)
3 屭・贔屭・贔負
4 娶(らば)
5 嘖嘖・嘖々
6 孕(む)
7 幇助
8 碌・陸
9 島嶼
10 窶(して)
11 辟易
12 羸弱
13 爛熟
14 内帑
15 滔滔・滔々
16 鼕鼕・鼕々
17 枷
18 綛・桛
19 蛯
20 繧

2「熱り立つ」は激怒して息まくこと。「人熱れ・草熱れ」のようにも用いる。
11 相手の勢いに押され、閉口すること。
16 鼓や太鼓の鳴る音の形容。

(三) 語選択・書き取り

各2点 計10点

1 披瀝
2 蘊蓄・薀蓄
3 驟雨
4 範疇
5 梵語

(四) 四字熟語

グレーの部分は解答の補足です

問1　各2点／計20点

1 渟膏湛碧
2 阡陌交通
3 草偃風従
4 広廈万間
5 薑桂之性
6 四顧寥廓
7 窺伺傚慕
8 殊域同嗜
9 麟角鳳嘴
10 宵衣旰食

1 水が油のように淀み、深緑色を湛えていること。
2 道、特に畑の中の道路が四方に通じていること。
3 君主が徳による政治を行えば、民は自然に従うこと。
4 広くて大きい家。転じて貧しい人々を広く庇護すること。
5 生姜や肉桂に似て、老いて益々剛直なことのたとえ。
6 四方を見回すと辺り一面ただ空しく広がっているさま。
7 他人のやり方をこっそり真似すること。
8 外国人でありながら自分と好みが一致すること。
9 麒麟の角と鳳凰の嘴。滅多に見られぬもののたとえ。
10 天子が朝早くから夜遅くまで政務に励むこと。

問2　各2点／計10点

1 うんけつ
2 ゆが
3 でいこう
4 びふつ
5 じょうふ

(五) 熟字訓・当て字 各1点 計10点

1 けいず
2 シャム
3 このわた
4 さはり さわり
5 かじかがえる かじか
6 みずすまし
7 つげ
8 どうだんつつじ はくちょうげ
9 おにゆり
10 ヒヤシンス

1 盗賊を匿ったり盗品を隠したりすること。
3 ナマコの腸を塩辛にしたもの。
4 銅と錫の合金。それで作った仏具や容器。
7 ツゲ科常緑小高木。黄褐色の材は緻密で、櫛などが作られる。
8 どうだんつつじはツツジ科落葉低木。はくちょうげはアカネ科常緑小低木。

(六) 熟語の読み・一字訓読み 各1点 計10点

グレーの部分は送りがなです

ア 1 しんとう 2 うご(く)
イ 3 しけん 4 た(える)
ウ 5 りじ 6 のぞ(む)
エ 7 しょうしん 8 のぼ(る)
オ 9 じげん 10 ちか(い)

3 責任を負う意。
5 政事に臨むこと。
9 卑近なことば。

(七) 対義語・類義語 各2点 計20点

グレーの部分は問題の熟語です

1 本邸⇔別墅
2 都雅⇔俚鄙
3 成人⇔幼孺
4 多大⇔尠少
5 謙遜⇔矜伐
6 本屋＝書肆
7 形代＝贖物
8 舟唄＝櫂歌・棹歌
9 急所＝肯綮
10 火葬＝荼毘

1 別荘のこと。
2 田舎びていること。
5 才気や功績をたのみ誇ること。
6 「肆」はみせ。「魚肆・酒肆」のように用いる。
7 身の災いを負わせるもの。
9 ものごとの急所。「肯」は骨付きの肉、「綮」は筋と骨のつなぎ目。肉を切るとき包丁を入れる肝心な所。

(八) 故事・諺 各2点／計20点

グレーの部分は送りがなです

1 蝙蝠
2 旧柯
3 草鞋
4 昇(き)
5 蝨
6 蜀犬
7 奢侈
8 蒙求
9 鷸蚌
10 舌耕

2 一度衰えたものが再び繁栄することはない。「柯」は枝。
6 「蜀」は中国の地名。山が高く、霧が深くて日があまり差さないと言われる。
9 シギとハマグリ。「鷸蚌の争い」は両者が争っている間に第三者に利益を横取りされるたとえ。

(九) 文章題

グレーの部分は送りがなです

書き取り 各2点／計20点

1 無聊
2 擂(り)
3 痲痹・麻痺
4 櫂・楫・橈・艪
5 瑪瑙
6 鏤(め)・嵌(め)
7 篩(い)
8 漉(せば)・濾(せば)
9 燦(たる)
10 苟(も)

読み 各1点 計10点

ア いぬ
イ もっと(も)
ウ こうほう おうほう
エ せいきん
オ かくえき
カ ひ(く)
キ えんぶ
ク ひとみ
ケ ここ
コ いた(る)

1 退屈なこと。気が晴れないこと。
ウ 養老の衣服令によって定められた無位の官人の制服。
エ 粗末な着物につける青い布で作った襟のこと。
オ 神神しく光輝くさま。
キ 「閻浮檀金」は閻浮樹(高木の名)の林の中を流れる川に産するといわれる砂金。

(一) 読み

グレーの部分は送りがなです　各1点 計30点

1 がいさい
2 きょうきょう
3 ちゅうひつ
4 せんとう
5 こつこつ
6 きょうげき
7 いっせき
8 こうしん
9 せんそ
10 せんしょく
11 こほん
12 ちたつ
13 きんたん
14 さし
15 しょうえん
16 すいしゅう
17 ふくろう
18 そう
19 よぶん
20 すうじょう
21 たしな(める)
22 おか(す)
23 とお(い)
24 つ(くす)
25 たがね
26 のこ(さん)
27 か(けず)
28 み(て)
29 かたみ
30 むしば(む)

8 朋友が集まること。
10 仰ぎ見ること。
13 不和のはじめ。
17 夏の祭りと冬の田神の祭り。
18 かいばおけのこと。
20 草刈りときこり。野人のこと。

(二) 書き取り

グレーの部分は送りがなです　各2点 計40点

1 徘徊
2 嗾(ける)
3 憤懣・忿懣
4 慙愧
5 蘭
6 礑
7 埃塗(れ)
8 彙報
9 殺戮
10 忖度
11 鞬鞘
12 蛹
13 粳
14 祠
15 揖譲
16 矢衾
17 一盞
18 一粲
19 簗
20 鞐

8 分類してまとめた報告。
18 白い歯を見せて笑うこと。「一粲を博す」とは自作の詩文などを人に贈るときの謙遜の辞で、「お笑い種に」というほどの意味。

(三) 語選択・書き取り

各2点 計10点

1 齣盈
2 復辟
3 万朶
4 鏗鏗・鏗々
5 陥穽

(四) 四字熟語

グレーの部分は解答の補足です

問1　各2点／計20点

1 哀矜懲創
2 舐糠及米
3 駟介旁旁
4 曼理皓歯
5 嚮壁虚造
6 無根無蔕
7 干戚羽旄
8 秀麗皎潔
9 桃傷李仆
10 槁項黄馘

問2　各2点／計10点

1 ちょうてき
2 とうまつ
3 そうしゅ
4 はくゆ
5 きょうゆう

1 懲罰を与える際は悲しみ憐れむ心も必要であること。
2 被害が次第に内部に及んだり拡大したりすること。
3 武装した四頭立ての戦車が戦場を駆け廻ること。
4 美人のこと。きめ細かな美しい肌と白く美しい歯。
5 実在しないものを作りだすこと。
6 拠り所のないこと。「蔕」は果実が枝や茎につくへた。
7 夏の禹王が始めたという武の舞と文の舞。
8 汚れなく気高く美しいさま。「皎潔」は「きょうけつ」とも読む。
9 兄弟が互いに傷つけ合い争い合うことのたとえ。
10 やつれた顔の形容。痩せ細った首筋と疲れて黄ばんだ顔。

問題は本冊P108～113

(五) 熟字訓・当て字

各1点 計10点

1 ざりがに
2 のうぜんかずら
3 またたび
4 よたか
5 ほや
6 おおばこ
7 ビルマ
8 かながしら
9 もずく
10 おとぎりそう

2ノウゼンカズラ科蔓性落葉樹。「霄」は天。蔓が天を凌ぐほど生長するのが名の由来。

3マタタビ科落葉低木。葉や実を猫が好む。

6オオバコ科多年草。葉や種子は薬用。

8ホウボウ科海魚。美味といわれる。

9海藻。酢の物として食す。

(六) 熟語の読み・一字訓読み

グレーの部分は送りがなです　各1点 計10点

ア 1 たんし　2 ふか(い)
イ 3 かんしょく　4 かたむ(く)
ウ 5 ひとく　6 うす(い)
エ 7 たんりゅう　8 はや(い)
オ 9 かとう　10 つつ(む)

1深く思うこと。

3日暮れ。「旰」は夕方、「昃」は日が西にかたむくこと。

7早瀬のこと。

(七) 対義語・類義語

グレーの部分は問題の熟語です　各2点 計20点

1 逃走⇔拿捕
2 猛暑⇔峭寒
3 禅譲⇔放伐
4 寛容⇔狷狭
5 断絶⇔纂承
6 柩車＝霊輀
7 暫時＝霎時
8 畦道＝阡陌
9 逡巡＝躊躇
10 牢獄＝囹圉・囹圄

2厳しい寒さ。

3悪虐の君主を武力討伐し、放逐すること。「禅譲」は有徳者に穏やかに譲位すること。「禅譲放伐」という四字熟語となっている。

4器量が小さいこと。

5受け継ぐこと。

7ほんの少しの間。片時。

8「阡」は南北に通じるあぜ道、「陌」は東西に通じるあぜ道。

10「れいご」とも読む。

(八) 故事・諺

グレーの部分は送りがなです　各2点／計20点

1 諤諤
2 馬謖
3 炉炭
4 襤褸・襤縷
5 尺蠖
6 衒(い)
7 蟪蛄
8 謗(り)
9 褌
10 拙射

1正しいと思う事を直言すること。「諾諾」は何にでもはいはいと従うさま。

2中国三国時代の人名。

6ひけらかすもの。誇示するもの。

7夏の間しか生きていないセミ。

10弓を射るのが下手な人。「羿(げい)」は弓の名人。

(九) 文章題

グレーの部分は送りがなです

書き取り　各2点／計20点

1 竿
2 括(り)
3 霍乱・癨乱
4 癪
5 麦藁帽
6 干戈
7 齷齪・偓促
8 糟糠
9 汚穢
10 踵・踝・跟

読み　各1点 計10点

ア な(げ)
イ なぐ(り)
ウ はいとく
エ み(つる)
オ ていせい
カ がいく
キ かんか
ク えきれい
ケ ろうしゅう
コ は(た)

3日本では一般に暑気あたり、日射病を指す。

6たてとほこ。武器のこと。

7「あくせく」とも読む。

ウ道徳や人倫にそむくこと。背徳。

オ野卑でみだらな音楽。

カちまたのこと。「衢」は広い四辻。

キ妻を失った男と夫を失った女。

ク悪性の伝染病。

ケいやしく醜いこと。

(一) 読み

グレーの部分は送りがなです　各1点 計30点

1 ふっけい
2 しょり
3 どくせんじょう
4 だいせん
5 けいかん
6 びらん
7 けつじん
8 ちゅんけん
9 かせん
10 いえき
11 しんこつ
12 ほうはい
13 れっか
14 るいせつ
15 ひんしつ

16 ぐうし
17 ろうとう
18 ぼうせん
19 べき
20 あいけん
21 せり
22 にしん
23 くら(し)
24 とまぶね
25 はる(か)
26 もやし
27 すす(る)
28 すなわ(ち)
29 と(けた)
30 わが(ねる)　たが(ねる)

3「独壇場（どくだんじょう）」は「独擅場（どくせんじょう）」の誤読により造られた語。
4 書名、巻数などを記した細長い紙。
8 悩み苦しむこと。
15 品定めのこと。
17 うらぶれたさま。落ちぶれたさま。
19 死者の顔を覆う布。

(二) 書き取り

グレーの部分は送りがなです　各2点 計40点

1 耳朶
2 擽(る)
3 研鑽
4 撓(う)
5 節榑
6 斃死
7 虫螻
8 執拗
9 痙攣・痙癴
10 鶴嘴

11 攫・掠(った)
12 滾滾・滾々・渾渾・渾々
13 憫笑・愍笑
14 明礬
15 鬣
16 闃
17 檄
18 戟
9 楾
10 鎺

5「節榑立つ」は手などがごつごつしていること。
16 ひっそりと静かなこと。
17 意見や主張を急ぎ知らせ同調を促す触れ文。激励の意味で使うのは誤り。

(三) 語選択・書き取り

各2点 計10点

1 怙恃
2 膠着
3 宸襟
4 賈人
5 寤寐

(四) 四字熟語

グレーの部分は解答の補足です

問1　各2点／計20点

1 清籟蕭蕭
2 馳騁縦横
3 嫁娶不同
4 四衢八街
5 甘棠遺愛
6 灼然炳乎
7 区聞陬見
8 鉤章棘句
9 漿酒霍肉
10 風岸孤峭

問2　各2点／計10点

1 ぶんてん
2 とうしゃ
3 せきえい
4 きんかく
5 かんさく

1 清らかでもの寂しい音の形容。
2 馬が駆け回るように、自由自在に振る舞うこと。
3 縁組は家格の違う方がうまくいくということ。
4 大通りが四方八方に通じて交通の便がよく賑わう街。
5 善政を行う為政者への親愛と敬慕の情が深いこと。
6 明らかなさま。「灼然・炳乎」と同義語を重ねて強調。
7 学問や見識が狭く偏っていること。
8 引っ掛かりが多く、読みにくい文章のこと。
9 非常に贅沢なこと。酒を水、肉を豆の葉のように見なす。
10 険しい性格で人と調和せず、超然と孤立していること。

問題は本冊 P114~119

(五) 熟字訓・当て字

各1点 計10点

1 ひじき
2 さざえ
3 からたち
4 はこべ はこべら
5 そばえ
6 しらうお
7 チャルメラ
8 ゆきやなぎ
9 やつがしら
10 モスクワ

1「羊栖菜・鹿角菜」とも書く。
2「栄螺」とも書く。
4ナデシコ科越年草。春の七草のひとつ。
7南蛮物渡来と共に伝来した管楽器。唐人笛ともいう。
9扇状冠羽を持つ鳥の名。

(六) 熟語の読み・一字訓読み

各1点 計10点

グレーの部分は送りがなです

ア 1 はい 2 おそ(れる)
イ 3 じょうせい 4 すく(う)
ウ 5 そうせい ぞくせい 6 むら(がる)
エ 7 けいてき 8 みちび(く)
オ 9 てきちょく 10 たちもとお(る)

5草木がむらがり生えること。
7おしえみちびくこと。
9「躅」は足踏みする、たたずむ意。また「躑躅」はツツジの漢名でもある。

(七) 対義語・類義語

各2点 計20点

グレーの部分は問題の熟語です

1 朝暾⇔落暉
2 騒然⇔静謐
3 淡水⇔鹹水
4 投錨⇔解纜
5 少量⇔万斛
6 黎首＝蒼氓
7 書簡＝尺牘
8 身内＝眷属・眷族
9 末世＝澆季
10 内訌＝鬩牆

1「らくき」とも読む。「朝暾」は朝日。
3塩分を含む水。海水。
4船のともづなを解く意。出航に同じ。
5分量がたいへん多いこと。
6共に人民、庶民のこと。
8一族。親族。家来の意味もある。
9人情や道徳意識が薄れ、終末感の漂う世の中のこと。
10うちわもめのこと。「内訌」も同じ。

(八) 故事・諺

各2点／計20点

1 轅下
2 野雉
3 須弥
4 貂
5 膏肓
6 嘉膳・佳膳
7 馮河
8 賽銭
9 髀肉・脾肉
10 壮夫

2野生のキジ。外にある目新しいもののたとえ。
3須弥山の略。仏教世界で中心にそびえる高山。
5体のもっとも治療しにくい箇所。
7大河を徒歩で渡ること。
9股（もも）の内側の肉。騎乗して戦場を疾駆すれば余分な肉はつかない。
10血気盛んな壮年の男子。

(九) 文章題

グレーの部分は送りがなです

書き取り 各2点／計20点

1 眷顧
2 顰・嚬(め)
3 抑・抑抑・抑々
4 碌碌・碌々・陸陸・陸々
5 蕎麦
6 淵叢・淵藪
7 撞着・撞著
8 櫂歌・棹歌
9 嘖嘖・嘖々
10 寥寥・寥々

読み 各1点 計10点

ア わず(か)
イ とら(え)
ウ こんこう
エ ほうじゅく
オ こうじ
カ そうおう
キ ほしいまま
ク つ(くし)
ケ おもえらく
コ みだり(に)

1目をかけること。
2しかめること。眉の辺りにしわを寄せること。
6物事が多く集まるところ。
7つじつまが合わないこと。
9しきりに言いはやすさま。
ウ力があり、重厚なこと。
オ金石、琴などの音の形容。
カ田植えをすること。

(一) 読み (1×30)	1	2	3	4	5	6	7	8	9	10
	11	12	13	14	15	16	17	18	19	20
	21	22	23	24	25	26	27	28	29	30

(二) 書き取り (2×20)	1	2	3	4	5	6	7	8	9	10
	11	12	13	14	15	16	17	18	19	20

(三) 語選択書き取り (2×5)	1	2	3	4	5

(四) 四字熟語 問1 (2×10) 問2 (2×5)

問1

1	2	3	4	5	6	7	8	9	10

問2

1	2	3	4	5

第（　　）回テスト答案用紙

（五）熟字訓・当て字（1×10）

10	9	8	7	6	5	4	3	2	1

（六）熟語の読み・一字訓読み（1×10）

オ		エ		ウ		イ		ア	
10	9	8	7	6	5	4	3	2	1

（七）対義語・類義語（2×10）

10	9	8	7	6	5	4	3	2	1

（八）故事・諺（2×10）

10	9	8	7	6	5	4	3	2	1

（九）文章題　書き取り（2×10）読み（1×10）

書き取り

10	9	8	7	6	5	4	3	2	1

読み

コ	ケ	ク	キ	カ	オ	エ	ウ	イ	ア

※コピーしてお使いください。

クイズ
何問読めますか？②

❶ 老檛	❷ 雪特尼	❸ 哀瓜多	❹ 的木児	❺ 塞爾維	❻ 緑威	❼ 呉呂茶	❽ 阿媽港	❾ 氷州
❿ 巴勒斯旦	⓫ 雅典	⓬ 安特堤	⓭ 聖路易	⓮ 牛津	⓯ 哈爾浜	⓰ 希臘	⓱ 抔恩	⓲ 比律悉
⓳ 在得	⓴ 孟買	㉑ 白耳義	㉒ 爪哇	㉓ 以色列	㉔ 馬耳塞	㉕ 瑞西	㉖ 月即別	㉗ 墨西哥
㉘ 布哇	㉙ 阿海阿	㉚ 莫臥児	㉛ 得撒	㉜ 公額	㉝ 黎巴嫩	㉞ 諾威	㉟ 塞内牙	㊱ 盧森堡
㊲ 埃及	㊳ 漢堡	㊴ 北明翰	㊵ 恒河	㊶ 費府	㊷ 南旺府	㊸ 瓜姆	㊹ 波斯	㊺ 海牙

❶ラオス❷シドニー❸エクアドル❹ティモール❺セルビア❻グリニッジ❼クロアチア❽マカオ❾アイスランド
❿パレスチナ⓫アテネ⓬アムステルダム⓭セントルイス⓮オックスフォード⓯ハルビン⓰ギリシャ⓱ベルン
⓲ブリュッセル⓳チャド⓴ボンベイ㉑ベルギー㉒ジャワ㉓イスラエル㉔マルセイユ㉕スイス㉖ウズベク㉗メキシコ
㉘ハワイ㉙オハイオ㉚モンゴル㉛テキサス㉜コンゴ㉝レバノン㉞ノルウェー㉟セネガル㊱ルクセンブルク
㊲エジプト㊳ハンブルク㊴バーミンガム㊵ガンジス㊶フィラデルフィア㊷プノンペン㊸グアム㊹ペルシア㊺ハーグ

MEMO

矢印方向に引くと別冊の解答・解説が外れます。▶